KB101062

A Story on the Animals and Patterns of Gyeongbokgung Palace

Gyeongbokgung Palace(Palace Greatly Blessed by Heaven) was built in 1395, three years after the Joseon Dynasty was founded, and it served as the main palace for more than five hundred years. With Mount Bugaksan to its rear and the Street of Six Ministries (today's Sejongno) outside Gwanghwamun Gate(the main entrance to the palace), Gyeongbokgung stood in the heart of the capital city.

Standing on 432,703 square meters of land, Gyeongbokgung again became an iconic symbol for both Korea and the Korean royal family. Within the palace walls were the Outer Court(oejeon), offices for the king and state officials, and the Inner Court, known as naejeon, which included living quarters for the royal family as well as gardens for leisure and play. On its extensive premises were other palaces, large and small, including Queen's residence, known as Junggung, and the Crown prince's residence, the Donggung.

Gyeongbokgung Palace is filled with interesting topics of discussion. Located throughout the palace were several imaginary creatures known as Seosu. These endearing animal deities are responsible for guarding Gyeongbokgung and the royal family against evil. All of the walls are decorated with flower patterns and elaborate designs. Each animal and Pattern has its own beauty and symbolism.

Come explore Gyeongbokgung Palace's hidden symbols and meanings. This book marvels at Gyeongbokgung Palace's construction and beauty. After reading this book, you would just need to raise your eyes above street level to see a different Gyeongbokgung Palace.

In the Text

*

경복궁의 동물과 문양 이야기

03

경복궁의 동물과 문양 이야기

A Story on the Animals and Patterns of Gyeongbokgung Palace

1판 1쇄 | 2019년 7월 19일

글·사진 | 박영수

펴낸이 | 박현진
펴낸곳 | (주)풀과바람
주소 | 경기도 파주시 회동길 329(서패동, 파주출판도시)
전화 | 031) 955-9655~6
팩스 | 031) 955-9657
출판등록 | 2000년 4월 24일 제20-328호
홈페이지 | www.grassandwind.com
이메일 | grassandwind@hanmail.net

편집 | 이영란
디자인 | 박기준
마케팅 | 이승민

값 12,000원
ISBN 978-89-8389-800-5 73610

※ 잘못 만들어진 책은 구입처에서 바꾸어 드립니다.

이 도서의 국립중앙도서관 출판예정도서목록(CIP)은 서지정보유통지원시스템 홈페이지(seoji.nl.go.kr)와
국가자료공동목록시스템(www.nl.go.kr/kolisnet)에서 이용하실 수 있습니다. (CIP제어번호 : CIP2019024094)

경복궁의 동물과 문양 이야기

박영수 글 · 사진

풀과바람

머리글

경복궁은 독특한 조형미를 가진 궁궐입니다. 둘러보기 전에 그 특징을 알아둘 필요가 있습니다.

산기슭에 있는 경복궁은 산을 이용하되 산과 조화를 이룬 모습으로 지어졌습니다. 이런 형태는 다른 나라 궁궐에서 찾아보기 어려운 우리나라 궁궐의 특색입니다. 넓은 평지에 자리 잡은 중국 자금성과 프랑스 베르사유 궁전과 확연히 비교되는 점입니다.

어째서 산 아래에 터를 잡았을까요?

그 이유는 풍수지리의 배산임수(背山臨水)에서 찾을 수 있습니다. '뒤에는 산, 앞에는 물이 있는 땅'이란 뜻의 배산임수에서 '뒤'는 북쪽을 의미합니다. 이런 위치에 건물을 지으면 산이 북쪽에서 불어오는 찬 바람을 막아주고 앞 시야는 탁 트여서 눈이 편안합니다.

경복궁의 전체적인 모습은 어떠할까요?

정문 광화문부터 왕의 침전 강녕전까지는 중심축 선 위에 좌우 대칭이 엄격하게 적용됐습니다. 중심에 있는 근정전 월대에서 앞을 바라보면 멀리 남대문까지 일직선임을 알 수 있습니다.

모든 건물은 남쪽을 향한 채 직사각형으로 지어졌고, 건물 규모로 계급을 나타냈습니다. 국왕을 위한 주요 전각 이외에 주변 건물들은 융통성을 발휘해 자유롭게 조형미를 추구했습니다.

그 밖에도 경복궁에는 흥미로운 이야깃거리들이 많습니다.

해치를 비롯해 범, 용, 봉황, 거북 등의 서수들이 나름의 임무를 가진 채 궁궐 곳곳을 지키고 있고, 알 듯 모를 듯한 문양이 전벽돌이나 벽돌담에 장식되어 있습니다. 단순히 멋만 추구한 것이 아니라 저마다 고유의 상징과 의미를 지니고 있습니다.

그런 내용을 알고 보면 경복궁은 훨씬 뜻깊고 아름다운 공간으로 느껴질 것입니다. 이 책은 경복궁의 조형미와 함께 각종 동물과 문양에 담긴 뜻을 설명하고 있습니다. 아무쪼록 여러분의 경복궁 감상에 도움이 되기를 바랍니다.

박영수

이 책을 잘 활용하는 방법

경복궁(景福宮) 명칭의 뜻은 무엇일까요?
정도전이 《시경(時經)》에서 따온 말이며, '경사스럽고 복됨'을 의미합니다. 조선 왕조를 시작하면서 앞으로 좋은 일만 가득하기를 기원했음을 알 수 있는 말이지요. 경복궁을 산책하면 그 기운을 받을 수 있을지도 모릅니다.
다음과 같은 순서에 따라 궁궐을 둘러보면서, 해당 내용을 책에서 찾아 읽어 보세요.
동십자각과 잡상 → 어구 수문 → 해치 석상 → 광화문 → 흥례문과 답도 → 영제교와 금천 서수 → 유화문과 기별청 → 근정문과 행각 → 근정전과 오방신과 12지신 → 사정전과 운룡도 → 강녕전과 용마루 → 교태전과 태극 → 아미산과 굴뚝 → 경회루와 용 그리고 코끼리 → 영추문과 백택 → 신무문과 현무 → 건청궁과 향원정 → 자경전과 십장생 굴뚝 → 소주방과 동궁과 뒷간 → 건춘문과 청룡
이제부터 본격적으로 경복궁과 그 안에 있는 동물과 문양을 탐험해 볼까요?

차례

차례

경복궁에 갈 때, 안내소에서 안내도를
꼭 챙기세요.

동십자각과 잡상

"저기 누군가 오는군."

경복궁에 처음 가는 사람들은 정문 광화문을 최초로 보게 된다고 생각하지만, 궁궐 쪽에서 보면 접근하는 사람을 가장 먼저 발견하는 사람은 궁궐을 지키는 수병입니다.

동십자각은 경복궁 동쪽을 지키는 망루입니다.

광화문의 동서 양쪽에 있던 십자각(十字閣) 수병들이 그 주인공입니다. 십자각은 궁궐 모퉁이에 있는 망루(望樓, 망을 보기 위해 높이 지은 다락집)를 가리키는 말이며, 위에서 본 지붕 종마루가 '十' 자 모양으로 된 데서 유래된 명칭입니다.

"궁궐은 무슨 뜻인가요?"

궁궐(宮闕)은 궁과 궐을 합친 말입니다. '궁'은 임금이 사는 큰 건물을 뜻하고, '궐'은 외성으로 둘러싸인 부분과 출입문 양쪽에 설치한 망루를 의미합니다. 구체적으로 말해 흥례문 안은 궁에 해당하고, 광화문에서 십자각까지 이어진 담장 안쪽은 궐에 해당합니다.

동십자각이 없다면 엄밀히 말해 경복궁을 궁궐이라고 부르기 곤란합니다. 동십자각은 궐을 상징하는 건축물이기 때문입니다. 동십자각에 잡상(雜像)이 있고 단청이 장식된 것도 궁궐에 포함된 건물임을 일러 주고 있습니다.

궁궐 지붕에 잡상이 놓여 있는 까닭

"잡상을 지붕에 둔 이유는 무엇인가요?"

고대 중국에서는 마구간에 원숭이를 기르고 자유롭게 뛰어놀도록 하면 말[馬]이 질병에 걸리지 않는다는 믿음이 있었습니다. 이런 믿음은 '말 등에 올라탄 원숭이' 무늬를 관청 담장에 그려 넣는 관습을 낳았고, 원숭이를 질병 퇴치 능력을 지닌 영물로 여기게 했습니다. 이윽고 원숭이 무늬는 담장이 아니라 건물 꼭대기로 옮겨지고 형태도 그림이 아닌 조각으로 바뀌었습니다.

"으아아아악!"

여기에 당나라 태종의 악몽을 계기로 궁궐 지붕에 잡상이 등장했습니다. 어느 날 밤 태종은 꿈에서 귀신들로부터 기와 공격을 받았습니다. 놀라서 깬 태종은 괴물 모습의 서수들을 만들어 궁궐을 지키게 했으니 이로부터 잡상은 궁궐의 상징적인 조각상이 되었습니다. 자금성 지붕의 잡

잡상은 잡귀의 접근을 물리치는 수호신 같은 상징물입니다.

상을 보면 신선이 맨 앞에 있고 이어 봉황, 사자, 기린, 천마 따위의 서수들이 5개나 7개 홀수로 있습니다.

"원숭이 하니 삼장 법사가 떠오르네."

잡상은 조선 초기 우리나라에 전해졌지만 조선 중기에 이르러 모습이 조금 달라졌습니다. 조선의 경우 명나라 사람 오승은이 쓴 《서유기》의 초능력 손오공 이야기를 잡상에 반영했습니다. 하여 원숭이 한 마리가 아니라 삼장 법사, 저팔계, 사오정 등을 함께 세웠습니다. 이때 삼장 법사가 맨 앞에 있고 그 뒤에 손오공, 저팔계, 사오정, 마화상 등 5개 또는 7개 조각상이 잡귀의 침입을 막고 있습니다.

이렇듯 궁궐의 잡상은 나쁜 기운을 물리치고 건강을 지키는 행운의 상징물입니다. 건물에서 가장 높은 용마루 또는 추녀(처마의 네 모퉁이에서 지붕을 받치는 서까래) 위에 세워진 잡상은 사방을 지키는 수호신인 셈입니다.

동십자각이 섬처럼 있는 이유

"그런데 동십자각은 어째서 경복궁 바깥에 동떨어져 있나요?"

원래 동십자각은 서십자각과 함께 광화문까지 담장이 이어져 있었습니다. 수병들은 담장 안에 있는 계단을 통해 십자각에 올라가 망을 봤습니다. 동십자각 서쪽 성가퀴 가운데에 작은 문과 계단이 보이는데 옛날에 당직이 드나들었던 통로입니다.

"성가퀴가 뭔가요?"

성가퀴는 담장을 덧쌓고 亞(아) 자 모양으로 구멍을 여러 개 내어서 몸을 숨기고 적을 공격하게 할 수 있게 만든 시설입니다. 얼굴과 몸은 담장 뒤에 숨긴 채 구멍으로 활이나 총을 쏠 수 있었습니다. 성가퀴는 전투를 대비하여 설치해 놓은 것이지만, 경복궁은 본격적으로 전투에 대비한 성채는 아닙니다. 최소한의 호위를 위한 시설로 십자각을 만들었고, 상징물로서 위세를 나타낸 것입니다.

"헐어 버려!"

그런데 일제 강점기 때 십자각에 불행이 닥쳤습니다. 일제가 길을 넓힌다면서 1923년 서십자각을 허물었고, 동십자각의 담장을 없애고 섬처럼 만들었습니다. 그 바람에 동십자각은 궁궐로부터 버림받은 모양이 되었습니다.

다행히 동십자각과 서십자각은 원형대로 복원될 예정입니다.

어구 수문

동십자각에서 광화문 방향으로 조금 걸어가면 담장 동쪽 끝부분에 어구(御溝)가 있습니다. '어구'는 대궐에서 흘러나오는 개천을 이르는 말입니다. 물을 내보내는 어구의 수문(水門)은 무지개 모양의 홍예문으로 장식해서 권위를 과시했습니다.

궁궐에서 나오는 개천 수문입니다. 안의 사진은 담장 안쪽에서 본 모습입니다.

지금은 많이 가려져 있으나 그래도 홍예문 윗부분이 살짝 보입니다. 담장 바깥에서는 모르고 지나치는 사람이 많지만, 안쪽으로 들어가면 물길이 끊어진 채 복원된 어구 수문 일부를 명확히 볼 수 있습니다.

"물은 어디서 흘러왔을까요?"

옛 경복궁 그림을 보면, 북쪽과 서쪽 담장 수문(水門)으로부터 물이 흘러 들어왔습니다. 물줄기는 근정전 앞 영제교를 지나 광화문과 동십자각 사이 수문으로 빠져나간 뒤 중학천을 거쳐 청계천 물길이 됐다가 한강으로 흘러갔습니다. '중학천'은 경복궁 동쪽을 따라 흐르던 하천인데 1965년 복개 공사로 인해 지금은 흔적을 찾기 어렵습니다.

해치 석상

"광화문에 해치 조각상이 몇 개 있을까요?"

이렇게 물으면 대부분 두 개라고 말할 것입니다. 하지만 그렇지 않습니다. 광화문 주변에는 해치가 네 마리 있습니다.

광화문 누각 양쪽 모서리를 보면 작은 해치가 좌우에 하나씩 배치되어 있

해치 석상은 광화문 누각에 2마리가 있고, 문 옆에 2마리가 있습니다.

습니다. 몸을 살짝 비틀어 남쪽을 바라보며 궁궐을 지키는 형상입니다. 이 작은 해치 석상은 높은 곳에서 하늘로부터 날아오는 잡귀를 막는 상징물입니다.

그리고 광화문 양쪽에 우리가 잘 아는 큰 해치가 자리를 잡고 있습니다. 이 해치 석상은 크기도 크려니와 조각 솜씨도 매우 뛰어난 명품입니다. 얼굴을 보면 무섭기는 하지만 험악하지 않고 어딘지 모르게 친숙한 느낌을 풍깁니다.

광화문에 해치 조각상을 넷이나 둔 까닭

"해치를 왜 네 개나 두었을까요?"

그 이유를 알려면 먼저 해치에 대해 살펴봐야 합니다.

해치는 잘잘못을 가리거나 좋고 나쁨을 판단할 줄 아는 상상의 동물입니다. 중국 설화에 등장하는 '해치(獬豸)'는 獬(짐승 이름 해), 豸(웅크린 채 먹이를 노리는 모양 치)라는 단어로 이뤄져 있습니다. 잘못된 쪽을 노려보는 짐승을 해치라고 본 것입니다.

그런가 하면 '해치'는 중국이 아니라 우리 설화에서 탄생한 영물이고, '해님이 파견한 벼슬아치'의 준말이라는 설도 있습니다. 해가 뜨면 잡귀가 사라지는데 이에 근거하여 태양이 인간 세계에 보낸 '정의의 신'이 해치라는 것이지요.

어떤 설이 옳든 간에 해치는 조선 시대 경복궁을 지키는 상서로운 상징물이었습니다. 다만 높은 곳 해치와 아래쪽 해치의 의미는 조금 달랐습니다.

"불기운이 너무 강하군."

위쪽에 있는 해치는 강한 불기운을 제압하기 위한 상징물이었습니다. 전설에 따르면 해치는 물에 사는 수성(水性) 짐승입니다.

경복궁이 정면으로 바라보는 산은 관악산인데, 관악산은 궁궐 뒤쪽 북악산보다 높습니다. 이를 풍수지리에서 불안한 요소로 생각한 데다, 관악산은 불기운을 내뿜고 있어서 도성과 궁궐에 화재 위험이 있으므로 그걸 누르고자, 광화문 누각 높은 곳에 해치를 세운 것입니다.

광화문 옆 해치 석상은 왜 뿔이 없을까

"해치는 어떻게 생겼을까요?"

문헌에 따라 조금씩 설명이 다르지만, 대체로 소의 몸집에 말의 얼굴이고, 온몸에 푸른 비늘이 덮여 있으며, 날카로운 송곳니와 두툼한 꼬리를 가지고 있고, 머리 가운데에 외뿔이 솟아 있다고 합니다.

하지만 광화문 옆에 있는 해치 석상에게서는 외뿔을 찾아볼 수 없습니다. 왜 그럴까요?

그걸 알려면 해치 석상이 놓인 위치부터 살펴봐야 합니다. 광화문 옆 해치의 위치는 본래 그 자리가 아닙니다. 조선 시대 때 광화문 앞은 육조 거리라 하여 중요 관청이 늘어져 있었는데 서쪽 사헌부와 동쪽 이조 앞에 해치 석상이 있었습니다. 지금의 세종문화회관 조금 못 미치는 지역으로, 거기서부터 광화문까지 두 계단 올라선 낮은 상태의 오르막길로 되어 있었습니다.

사헌부는 관리들의 비리를 감찰하는 관아이고, 이조는 관리들의 인사권을 쥔 막강한 관청이었습니다. 이곳에 해치를 뒀다는 것은 관리로서 해야 할 처신에 대해 생각해 보라는 의미입니다.

석공 이세욱이 만든 해치 석상은 조형미가 뛰어난 작품입니다.

"마음을 가다듬어야겠군."

그러므로 관리들은 해치 석상을 지나칠 때마다 올바른 생각과 처신을 다짐하면서 궁궐에 들어섰습니다.

19세기 말엽 흥선 대원군은 국왕 권위를 높이기 위해 경복궁을 중건할 때 관리들의 충성과 청렴을 새삼스럽게 강조하고자, 당시 유명한 석공 이세욱에게 해치를 다시 만들라고 명했습니다.

이세욱은 최선을 다해 해치를 멋지게 조각하면서 외뿔을 의식하지 않았습니다. 왜냐하면 기존의 해치 석상이 아니라 사헌부 흉배의 뿔 없는 해치를 본보기로 삼았기 때문입니다. 사헌부는 관리들의 비리를 조사하고 감시하는 부서이므로, 정의의 동물인 해치를 상징으로 삼았습니다. 이때의 해치는 나쁜 관리를 보면 물어뜯는 짐승이기에 뿔이 없습니다.

"해타가 불기운을 억누르고 있나 봐."

그런데 공교롭게도 해치 석상이 완성되어 궁궐 앞에 놓인 뒤부터 화재가 일어나지 않자, 물의 동물 해타(海駝, 바다 낙타)라고 소문나다가 어느덧 '해태'라고 불렸습니다. 이로부터 해치보다 해태라고 불렸고 '광화문 해태 석상은 불을 제압하기 위해 세웠다'라는 속설도 널리 퍼졌습니다.

해치 석상 목에 있는 방울의 의미

해치 석상의 목을 보면 방울이 매달려 있습니다. 고양이를 집에서 키울 때, 어디 있는지 파악하기 위해 주인이 고양이 목에 방울을 매답니다. 해치의 방울도 과연 그럴까요?

"땡그렁, 땡그렁~~."

고대 세계에서 구리로 만든 방울은 귀신을 쫓기 위한 신성한 상징물이었습니다. 구리로 내는 금속 소리는 자연에 없는 소리이기에 동물들은 물론 귀신들을 놀라게 한다고 믿은 것입니다. 그래서 높은 지위의 제사

사진을 보면 해태 석상 앞 노둣돌에 사람들이 올라서 있습니다.

장은 제사 지낼 때 구리 방울을 손에 쥐고 흔들어 잡귀를 물리쳤습니다.

해치의 방울 역시 악귀를 물리치는 상징입니다. 해치는 손이 없으므로 목에 방울을 걸어 준 것이고, 비록 겉모습은 돌 방울이지만 그 상징은 구리 방울입니다.

"눈알이 튀어나올 것처럼 보이네요."

같은 맥락에서 해치 석상의 눈은 '퉁방울'입니다. '퉁방울'은 놋쇠로 만든 방울을 이르는 말인데, 퉁방울처럼 크게 불거진 둥그런 눈도 퉁방울이라고 합니다. 구리 방울의 의미를 강조하고자 해치의 눈을 매섭게 째진 모습이 아니라 퉁방울 모양으로 만든 것입니다.

그런가 하면 해치 석상은 하마비(下馬碑) 역할도 했습니다. '하마비'는 누구든 말에서 내리라는 지시 푯돌입니다. 구한말(조선 말기에서 대한 제국까지의 시기)에 찍은 사진을 보면 해치 석상 바로 옆에 노둣돌이 놓여 있는 데서도 그런 점을 확인할 수 있습니다. '노둣돌'은 말을 타고 내릴 때 발돋움으로 쓰기 위해 놓은 큰 돌을 이르는 말입니다. 경복궁은 신성한 곳이므로 궁궐에 들어오려는 사람은 걸어서 다녀야 함을 해치 석상을 통해 일러 준 것입니다.

광화문과 주작, 기린, 현무

"문을 왜 세 개나 만들었을까요?"

광화문의 출입문은 세 부분으로 구분되어 있습니다. 넓고 높은 가운데 문을 중심으로 양쪽에 약간 낮고 좁은 문이 있는 구조입니다.

가장 넓고 높은 가운데 홍예문으로는 임금만이 드나들었습니다. 임금이 행차할 때 동쪽 문으로는 동반 즉 문신들이 따라나섰고, 서쪽 문으로는 서

가운데 문으로는 오직 임금만 드나들었습니다.

반 곧 무신들이 다녔습니다. 평소에는 광화문으로 누구도 드나들지 못했습니다.

그런데 광화문 천장을 보면 세 곳에 저마다 다른 상서로운 동물들이 그려져 있습니다. 무슨 의미일까요?

광화문 천장에 주작이 그려진 이유

경복궁은 근정전을 중심으로 동서남북 네 방향에 대문이 있습니다. 동쪽 문은 건춘문, 서쪽은 영추문, 남쪽은 광화문, 북쪽은 신무문이라는 이름이 있습니다.

전통적인 오행설에 따르면 남쪽은 여름과 불을 상징합니다. 광화문은 남쪽 대문이므로 가운데 홍예문 천장에 주작(朱雀)을 그렸습니다. '주작'은 남방을 지키는 신령이자 남방 별자리 이름이고, 붉은빛 봉황 형상으로 묘사됩니다. '주작'은 쉽게 말해 '붉은 봉황'입니다.

"봉황을 두 마리 그린 이유는 뭘까요?"

봉황은 수컷을 봉(鳳), 암컷을 황(凰)이라고 하므로 어디서든 한 쌍을 그리는 게 원칙입니다. 중국 태평성대인 요순시대에 어디선가 봉황이 나타나더니 임금이 거처하는 궁궐에 항상 머물렀다고 전합니다. 이후 봉황은 성군이 나라를 태평하게 다스리면 홀연히 나타나는 상서로운 새로 여겨졌습니다.

그러므로 광화문 천장 주작은 남쪽을 지키는 신비한 새이자 태평성대를 상징하는 영물이라는 이중적 의미를 지니고 있습니다.

봉황 생김새에 대한 표현은 문헌마다 조금씩 다르지만, 기본적으로 닭과 비슷하고 뱀 머리에 물고기 꼬리를 가졌다고 합니다.

"봉황에 닭의 모습이 많은 이유는 무엇일까요?"

어느 문화권을 막론하고 사람들은 유용한 동물을 좋게 생각합니다. 같은 맥락에서 농사지으며 사는 농경민은 알 많이 낳는 닭을 가장 좋은 새로 생각했습니다. 새벽에 일어날 시간을 알려 주는 데다 날마다 단백

주작은 붉은빛 봉황 형상으로 묘사되는 신령한 새입니다.

질 식품인 달걀을 제공해 줬기 때문입니다. 하여 하늘과 통하는 새를 상상할 때 닭을 신성한 동물의 본보기로 삼은 것입니다.

광화문 작은 문의 기린과 거북이 뜻하는 것

"서쪽 작은 문에 있는 말처럼 생긴 동물은 무엇일까요?"

예전에는 성곽이나 건축물에서 남쪽에 있는 문을 오문(午門)이라고 불렀습니다. 경복궁 남문도 초창기에는 오문으로 불렸고, 세종 때에 광화문(光化門)으로 이름이 바뀌었습니다. '광화문'은 임금의 덕이 온 천하에 두루 비친다는 의미입니다.

午(오)는 십이지 중 일곱 번째 말[馬]에 해당하고, 시간상으로는 낮 11시부터 오후 1시 사이이며, 午(오)의 방위는 남쪽입니다. 낮 12시는 오의 한가운데이기에 정오(正午)라고 말합니다. 광화문은 경복궁 정남(正南)에 있는 대문이므로 홍예문 천장 한 곳에 말을 그려 넣었습니다.

"말에게 뿔이 있나요?"

광화문 홍예문의 말 그림을 자세히 보면 머리에 뿔이 있습니다. 말에게 뿔이 있다니 이상한 일이지요? 그 비밀은 이중성에 있습니다. 십이지의 말을 표현하는 동시에 뿔을 통해 기린(麒麟)임을 나타낸 것입니다.

"아프리카의 기린하고 다르게 생겼네요."

그림 속의 기린은 아프리카에 사는 목이 긴 동물이 아니라, 동양 전설

서쪽 문에는 기린, 동쪽 문에는 현무가 그려져 있습니다.

에서 위대한 국왕의 탄생을 미리 알려 주는 신성한 동물입니다. 기린은 암수를 합쳐 부른 말이며, 수컷을 '기'라 하고 암컷을 '린'이라고 합니다.

기린의 생김새는 용의 얼굴에 사슴 몸통과 말의 발굽이 특징입니다. 얼굴은 용을 닮았고 하늘을 날기에 용마(龍馬)라는 별명으로도 불립니다. 궁궐에 장식된 기린은 훌륭한 임금을 나타냅니다.

광화문 천장에는 두 가지 의미를 강조하고자 말처럼 보이는 기린을 그린 것입니다.

"거북처럼 보이는 동물은 뭘까요?"

밖에서 볼 때 가운데 문 오른쪽 작은 홍예문 천장에는 거북처럼 보이는 동물이 그려져 있습니다. 이 동물은 물과 땅을 상징하는 현무(玄武)입니다. 하늘을 나는 주작은 천신(天神)을 상징하고 물과 땅에서 노니는 현무는 지신(地神)을 상징합니다.

광화문 한가운데 문에 주작이 있으므로 그에 맞춰 현무를 작은 홍예문에 그려 넣은 것입니다. 또한 현무 입에서 뿜어져 나오는 것은 음기를 나타내며, 음기는 바로 아래에 물로 연결됩니다. 따라서 현무는 해치와 더불어 불기운을 제압하는 상징의 역할도 합니다.

한편 광화문 현판은 현재 하얀 바탕에 검은 글씨로 새겨져 있는데, 이는 잘못된 복원입니다. 1867년 작성된 《경복궁 영건일기》에 따르면, 근정전, 강녕전 등 대부분 전각 현판은 검은 바탕에 흰 글씨로 제작했습니다. 아울러 '불을 제압하는 이치를 취한 조치'라는 설명도 곁들여져 있습니다. 화재가 일어나지 않기를 바라면서 물을 상징하는 검은색을 쓴 것입니다. 이때 광화문 현판만은 검정 바탕에 금색 글씨로 권위를 강조했습니다. 그렇지만 잘못 복원한 현판이 자리 잡고 있으니 참으로 안타까운 일입니다.

흥례문과 답도

광화문을 통과해 어도(御道)를 따라 앞으로 100미터 걸으면 흥례문(興禮門)이 나옵니다. '어도'는 국왕만 걸어갈 수 있는 길을 이르는 말이며, 조선 시대에는 관리이든 평민이든 함부로 어도를 걸으면 곤장 100대를 맞았습니다.

"문 옆에 방들이 많네요."

흥례문은 궐 안의 궁으로 들어가는 첫 번째 문입니다.

현재 흥례문 좌우로 행각(行閣)이 길게 펼쳐져 있습니다. '행각'은 대문 양쪽이나 문간에 길게 붙어 있는 방을 일컫는 말입니다. 경복궁을 창건한 조선 초기에는 행각 없이 문만 있었지만, 경복궁을 다시 세운 흥선 대원군은 궁궐 권위를 과시하고자 흥례문 좌우로 긴 행각을 지었습니다.

"왜 건물 안에 또 문을 세웠을까요?"

흥례문은 대문 안에 거듭 세운 중문(中門)입니다. '중문'은 규모가 거대함을 과시하는 상징적인 문입니다. 다른 의미에서 광화문이 궁궐을 둘러싼 외곽 대문이라면, 흥례문은 본격적으로 궁 안으로 들어가는 대문입니다.

"계단 위에 흥례문이 있네요."

계단 위에 세운 문은 권위와 동시에 일상의 세상에서 신성한 세계로 들어섬을 나타낸 것입니다.

답도에 봉황 무늬가 있는 까닭

흥례문을 오르는 계단은 세 부분으로 나뉘어 있으며 가운데에 답도(踏道)가 있습니다. '답도'는 '밟는 길'이란 뜻이지만, 국왕은 답도를 밟고 지나가는 것이 아니라 가마에 앉은 채로 답도 위를 지나갔습니다. 국왕은 신과 같은 존재이므로 국왕 전용 길이나 계단도 인간의 길과 다르게 만든 것입니다.

신하들은 좌우 계단을 이용해서 다녔습니다. 동쪽 길과 문은 동반 즉 문신들이 다녔고, 서쪽은 서반 곧 무신들이 다녔습니다. 만약 왕 아닌 사람이 답도를 밟으면 죽음으로 다스렸습니다.

"계단에 봉황과 해치가 있네요!"

답도에는 봉황이 새겨진 사각형 돌이 있고, 그 좌우에는 해치가 새겨져 있습니다. 해치가 양쪽에서 봉황을 호위하는 형상입니다. 봉황은 국왕을 상징하는 동물입니다. 이때의 해치는 정의를 지키는 정의의 수호신이므로, 국왕은 자연스레 정의를 대표하는 지도자가 됩니다.

봉황은 어떤 경우에도 죽는 일 없이 영원히 사는 신성한 새이자 인간

임금은 가마에 탄 채 답도 위를 지나갔습니다.

세상에 좋은 길조를 알려 주는 아름다운 상상의 새입니다. 봉황은 삼족오(三足烏)로 거슬러 올라가는 하늘새이기도 합니다.

"어떻게 보면 봉황이 삼족오하고도 비슷하네요."

세 발 가진 까마귀는 한반도 북쪽에 살던 동이족(東夷族)이 숭배하던 신성한 새로서 태양을 상징했습니다. 태양은 음양학에서 양(陽)이고 양의 수는 3이므로 세 발 달린 거대한 까마귀를 신처럼 생각했습니다. 고구려 고분 벽화에도 삼족오가 그려져 있습니다.

중국인이 물의 동물인 용(龍)을 모신 것과 달리, 동이족은 하늘의 자손이라는 믿음 아래 하늘과 땅을 오가는 새를 신성하게 여겼습니다.

사실 봉황이란 단어는 중국인들이 하늘새 개념을 받아들이면서 만든 말입니다. 중국인들은 하늘새를 바람의 화신이라 생각하여 風(바람 풍) 자와 鳥(새 조) 자를 합해 鳳(봉황새 봉) 자를 만들었습니다.

바꿔 말하자면 동이족의 삼족오는 곧 하늘새이고 이 하늘새가 중국으로 건너가 봉황이 된 것입니다.

봉황이 왜 용보다 아래 상징 동물로 여겨질까

그런데 안타깝게도 봉황은 용에게 눌리고 말았습니다. 무슨 말인가 하면 동이족이 중국의 한족에게 밀리면서, 삼족오가 용보다 낮은 단계의 영물인 것처럼 여겨졌습니다.

중국의 한족은 오랜 세월 맞싸워온 동이족의 상징 동물을 의도적으로 깎아내리고자 용을 황제, 봉황을 황후의 상징 문양으로 썼습니다. 용맹하기로 소문난 동이족의 느낌을 약하게 하고자 일부러 여성화한 것입니다.

일부 사람들이 봉황을 용의 아래 단계로 생각하는 오해는 바로 여기에서 출발합니다.

그러나 생각해 보세요. 만약 암수 개념으로 본다면 어떻게 용과 봉황

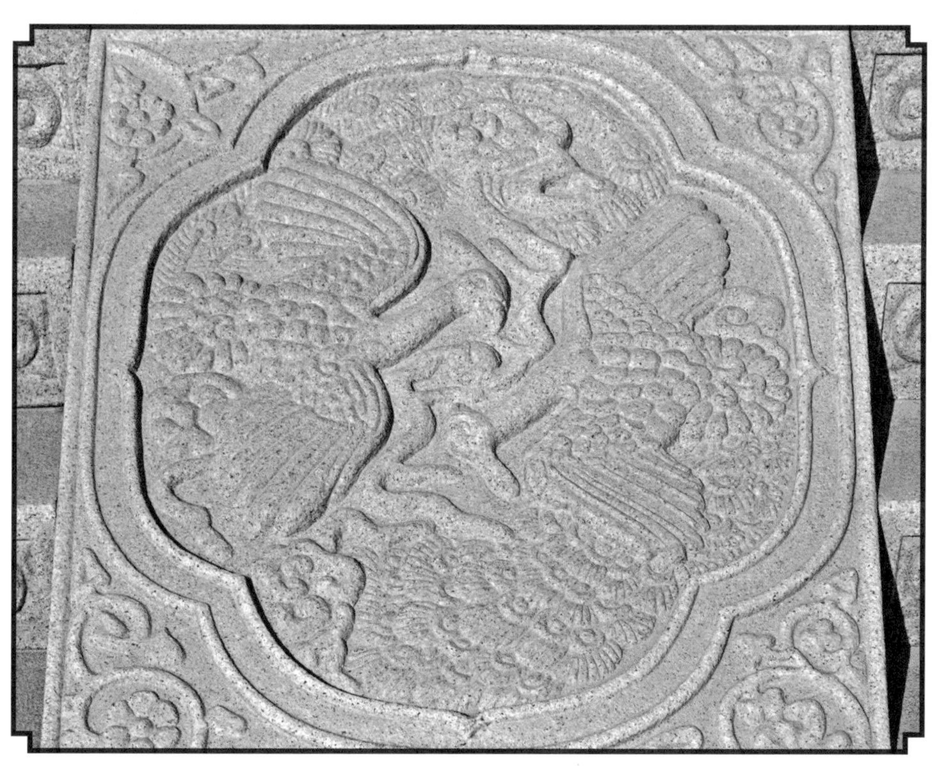

답도에 있는 봉황은 하늘로부터 온 하늘새입니다.

이 짝을 이룰 수 있을까요? 생김새도 다르고 태어난 환경도 다른데 말입니다. 더구나 중국인들은 '봉'을 수컷, '황'을 암컷이라고 구분하기도 했으니 '용=남성=황제, 봉황=여성=황후'라는 등식은 말이 되지 않습니다. 그러므로 봉황을 용보다 못한 존재로 여기는 것은 잘못임을 알 수 있습니다.

조선 왕조는 용(龍)과 함께 하늘새 즉 봉황을 국왕의 상징 동물로 삼았습니다. 답도의 봉황은 황후가 아니라 국왕을 위한 상징인 것입니다.

한편 흥례문은 이름과 건물 모두 수난을 겪었습니다. 처음 창건됐을 때는 '예(禮)를 널리 편다'라는 뜻의 홍례문(弘禮門)이었습니다. 그런데 흥선 대원군이 중건했을 때는 청나라 건륭제 이름 홍력(弘歷)을 피하고자 '홍'을 '흥'으로 고친 '흥례문'으로 이름을 바꾸었습니다. 황제나 국왕의 이름을 언급하는 것은 불경죄에 해당하는 일이고, 청나라 칙사가 왔을 때 보고 흠잡을 것을 우려한 까닭입니다.

"광화문과 근정전 사이를 큰 건물로 가로막아 조선의 정기를 끊으시오!"

흥례문 자체도 불행을 겪었습니다. 일제가 조선 총독부 건물을 지으면서 1912년 철거해 버린 것입니다.

흥례문뿐만 아니라 주변 행각과 영제교 등이 사라졌고, 그 자리에 조선 총독부 건물이 들어섰습니다. 하여 조선을 대표하는 경복궁 근정전은 앞이 가로막힌 답답한 모양이 됐습니다.

우여곡절 끝에 흥례문은 2001년 복원됐고 그제야 경복궁은 예전의 웅장한 모습을 되찾았습니다.

영제교와 금천 서수

흥례문 안으로 들어서면 바로 앞에 길이 13.85미터, 너비 9.8미터의 돌다리가 보입니다. 돌다리 아래에는 개천이 흐르는데, 지금은 물이 흐르지 않지만 예전에는 맑은 물이 흘렀습니다.

"물은 어느 방향으로 흘렀을까요?"

북쪽 북악산에서 출발한 물줄기가 근정전 앞에서 꺾어져 서쪽에서 동쪽으로 흘렀습니다. 경복궁 창건 당시 기록에 "근정문과 광화문 사이의 뜰 가운데에 석교가 있으니 도랑물 흐르는 곳"이라는 내용이 있습니다. 풍수지리적으로 부족한 물기운을 보완하고자 인위적으로 만든 물길과 다리입니다. 금천은 북악산 정기를 경복궁으로 가져오는 역할도 했습니다.

인위적으로 개천과 다리를 만든 이유

"다니기 불편할 텐데 왜 일부러 물길과 다리를 만들었을까요?"

여기에는 명당수 보완 말고도 다른 이유가 숨어 있습니다. 궁궐 안에 흐르는 도랑물을 금천(禁川)이라 하고, 그 위에 놓인 다리를 금천교(禁川橋)라고 부릅니다. 금천은 명당에 들어오려는 잡귀를 막으면서 다리 건너에 다른 세계가 있음을 일러 주는 상징적인 공간입니다. 다시 말해 왕의 공간인 궁궐과 바깥세상을 구분 짓는 경계의 상징을 지닌 곳입니다.

"금천은 우리나라에만 있을까요?"

중국과 베트남 궁궐에도 금천이 있고, 고려와 조선의 궁궐에서도 필수적인 시설이었습니다. 신성한 궁으로 들어서기 전에 마음가짐을 새롭게 하라는 뜻에서 물길과 다리를 놓은 것입니다.

'마음을 깨끗하게 하라.'

경복궁 개천에 이런 의미로 세종 때에 '영제교(永濟橋)'라는 이름을 붙였고, 고종 때에는 금천교라고 고쳐 불렀습니다. 금천교 너머는 국왕

영제교는 궁궐에 흐르는 명당수 위를 걸어갈 수 있도록 만든 다리입니다.

의 성역임을 강조하기 위함이었습니다.

"3품 이하는 남쪽에 서는 것이오."

영제교는 상징적 경계 말고도 관리의 신분을 구분 짓는 기능도 했습니다. 근정문에서 조회가 열릴 때 고위직 관리는 영제교 북쪽에 섰고 하위직 관원은 남쪽에 섰습니다. 쉽게 말해 영제교를 중심으로 고위관리와 하위관리를 차별한 것입니다. 신분 상승에 대한 욕망을 자극하여 국왕에 대한 충성심을 유도하기 위함이었지요.

금천 위에 놓인 영제교에도 신분 차별 흔적이 있습니다. 다리를 삼등분한 것이 그것입니다. 길이를 재면 가운데는 3.4미터, 양쪽은 각각 3.2미터입니다. 가운데 너비는 임금이 타고 다니는 가마의 폭이었고 오직 왕만이 다닐 수 있었습니다. 신하들은 그 좌우로 지나다녔습니다.

영제교 난간과 금천 위에 서수를 둔 까닭

금천 안쪽 궁은 매우 특별한 공간이기에 그걸 강조하고자 영제교 난간에 서수(瑞獸)를 세워두었습니다. '서수'는 잡귀를 물리치면서 좋은 일을 가져다주는 영묘한 짐승을 이르는 말입니다.

"다리 난간에 웅크려 앉은 서수의 정체는 뭘까요?"

영제교 엄지기둥(난간 양쪽 끝에 세우는 굵은 장식 기둥)의 서수는 용(龍)의 여섯째 아들 공복(蚣蝮)입니다. 공복은 천성이 물을 좋아하므로

다리 엄지기둥에 장식된 동물은 용의 여섯째 아들 공복입니다.

다리 기둥에 새겨 악귀를 막게끔 한 것입니다.

“혀를 내밀고 있는 동물은 뭘까요?”

영제교 양옆에서 혀를 내밀고 있는 동물의 정체에 대해서는 두 가지 의견이 있습니다. 물짐승인 ‘해치’라는 설과 상상의 동물 ‘천록(天祿)’이라는 설이 그것입니다.

해치로 보는 쪽은 물가에 있고 외뿔과 비늘을 가진 점을 근거로 내세우는 데 비해, 천록으로 보는 쪽은 외뿔과 길게 내민 혓바닥을 근거로 내세웁니다. 두 의견은 각기 부족한 점이 있습니다. 해치 학설은 혓바닥,

금천의 물을 내려다보는 동물은 물길을 지키는 천록입니다.

천록 학설은 물가에 대한 설명이 부족합니다.

두 동물의 공통점이 있다면 외뿔을 가졌고 사악을 물리친다는 상징성입니다. 조선 후기 실학자 이덕무와 유득공은 "확실하지는 않으나 천록으로 본다."라는 기록을 남겼습니다. 하여 요즘은 천록으로 보는 사람들이 많습니다.

해치이든 천록이든 다리 양쪽에 있는 서수는 명당수로 들어오려는 악귀를 막는 역할을 합니다. 외부에서 물길을 타고 침입한 잡귀가 서수 얼굴을 보고 놀라 도망가게끔 했으니까요.

요컨대 영제교 난간의 공복은 불기운을 막으면서 물을 다스리고, 다리 옆 서수는 잡귀와 재앙을 물리치는 신성한 동물입니다.

유화문과 기별청

영제교를 건너 근정문을 향해 가다 왼쪽을 돌아보면 유화문(維和門)과 기별청(奇別廳)이 보입니다.

"유화문은 무슨 뜻일까요?"

'유화'는 '평화 유지'라는 뜻과 함께 '예를 실천하는 데에는 조화가 가장 중요하다'라는 의미가 있는 말입니다. 유화문 바깥에는 궐내각사(闕內各司)가 많았는데, 일할 때 조화롭게 처신하라고 일깨워 주는 이름이지요. '궐내각사'는 대궐 안에 있는 관아를 이르는 말이며, 춘추관(春秋館), 승정원(承政院), 홍문관(弘文館), 예문관(藝文館) 등이 유화문 근처에 있었습니다.

유화문이 서쪽 궐내각사 관원들이 드나들기 쉽게 만든 출입문이라면, 기별청은 무슨 일을 담당한 관아일까요?

"간에 기별도 안 갔다."의 어원

"오늘은 무슨 기별이 왔는가?"

이렇게 말할 때 '기별'은 승정원에서 처리한 일을 매일 아침 적어서 반포하던 일을 이르는 말입니다. 승정원은 어명을 전달하고 여러 가지 사항들을 임금에게 보고하는 일을 맡아보던 관아이고, 기별청은 그런 일을

종이에 적어서 소식을 알린 관아입니다.

기별청에서 아침에 작성한 관보(官報)는 파발마를 통해서 전국 각지로 보내졌습니다. 지방에 있던 관리들은 아침에 기별지를 받아보고 조정에서 처리되는 내용을 파악했습니다.

이에 연유하여 '기별'이란 말은 '다른 장소에 있는 사람에게 어떤 사실이나 소식을 전하여 알게 함'을 뜻하는 말로 쓰이고 있습니다. 민간에서는 음식을 너무 조금 맛봤을 때 "간에 기별도 안 간다."라는 속담으로 많이 썼습니다.

기별청은 궁궐 소식지를 담당한 관아입니다.

근정문과 행각

근정문(勤政門)은 경복궁의 중심 건물인 근정전으로 들어가는 남문입니다. 근정문은 흥례문처럼 계단 위에 세워졌는데 이는 더 높은 세계에 있음을 상징합니다. 실제로도 계단 높이만큼 높게 다진 땅 위에 근정문과 근정전을 세웠습니다.

"답도가 또 있네요!"

근정문은 임금의 정전으로 들어가는 대문입니다.

근정문 계단에도 봉황 무늬가 새겨진 답도가 있습니다. 해치 역시 계단 양쪽에서 호위 역할을 수행하고 있고요. 돌계단에 있는 해치는 이마 위에 외뿔을 달고 있는데, 관원들이 스스로 잘잘못을 살피고 반성하게끔 강조하는 역할도 합니다. 해치는 나쁜 마음 먹은 사람을 뿔로 들이받는 서수이니까요.

"일화문과 월화문은 뭘까요?"

지금 근정문 양옆에 있는 일화문(日華門)과 월화문(月華門)은 원래 위치가 아닙니다. 두 문은 본래 동서쪽 행각에 있었던 출입문입니다. 근정전을 중심으로 해를 상징하는 일화문은 동쪽, 달을 상징하는 월화문은 서쪽에 있었습니다. 당시 국왕을 찾아뵐 때, 문신은 동쪽 일화문으로 드나들었고 무신은 서쪽 월화문으로 출입했습니다. 음양으로 볼 때 문(文)은 해, 무(武)는 달에 해당한 까닭입니다.

그런데 1867년 경복궁을 중건할 때 근정문 양쪽으로 일화문과 월화문 위치를 옮겼습니다.

근정문 양쪽에 행각을 둔 까닭

"왜 행각을 근정문 옆에 두었을까요?"

근정문은 다른 문들과 달리 창건 때부터 행각으로 이어져 있었습니다. '행각'은 근정전 둘레를 직사각형으로 둘러싸서 보호하고 있는 모습이며 마당을 깊게 보이는 기능도 합니다. 행각으로 근정전과 마당을 둘러싸서 공간적 깊이를 강조한 것이지요.

"창문 창살이 두 가지네요."

근정문 안으로 들어가서 행각의 창문을 보면 두 가지임을 알게 됩니다. 창살 모양도 다릅니다. 팔각형 창문은 창살을 사선으로 처리했지만, 사각형 창문은 직선으로 처리한 것이 특이합니다. 왜 그랬을까요?

창문 모양을 통해 사무실인지 복도인지 알 수 있습니다.

"창문을 보니 사무실이군."

한 공간에 창문을 두 개 낼 때는 예술미 차원에서 다른 모양을 조화롭게 배치했습니다. 창문을 하나 둘 때는 그곳 쓰임새에 따라 창문 모양을 정했습니다. 일하는 사무실은 네모 창문을 냈고, 회랑(지붕 달린 복도)일 때는 팔각형 창문을 냈습니다. 지금은 행각 모두가 뻥 뚫려 있으나, 동서 행각에는 사무실과 창고 등이 있었습니다.

근정전을 중심으로 동서 행각에는 나랏일에 필요한 관아를 배치했고, 북쪽 행각에는 활자를 보관하는 활자고와 임금의 개인적 돈을 보관하는 내탕고를 두었습니다. 남쪽 행각에는 방을 만들지 않고 복도로 두었습니다. 그래서 밖에서 창문만 보고도 방인지 복도인지 판단할 수 있었습니다.

주춧돌 모양과 터무니

"기둥의 주춧돌 모양이 다른 이유는 뭘까요?"

행각 기둥 아래에 있는 주춧돌을 보면 모양이 두 가지입니다. 사각형과 원형이 그것입니다. 왜 주춧돌을 두 가지 모양으로 만들었을까요?

'주춧돌'은 건물 기초를 튼튼히 하고자 기둥 밑에 괴는 돌을 이르는 말입니다. 전통적인 한옥은 단단한 돌을 낮게 깐 뒤 그 위에 굵은 나무 기둥을 세웁니다. 그래야 땅의 습기로부터 나무 기둥을 보호할 수 있기 때문입니다.

그리고 건물 쓰임새에 따라 주춧돌 모양을 달리했습니다. 일반적으로는 전각이든 출입문이든 사각형 주춧돌을 놓았고 나무 기둥 역시 네모지게 다듬어서 세웠습니다.

그렇지만 궁궐 행각은 둥근 나무 기둥을 다듬어 세우면서도 주춧돌로 그 쓰임새를 알렸습니다. 관청은 사각 주춧돌을 놓았고, 복도는 둥근 주춧돌을 놓았습니다.

연꽃이 그려진 주련은 고고한 군자를 상징하는 문양입니다.

근정문 양쪽에 있는 회랑의 주춧돌 모양은 둥글므로 본래 목적이 복도임을 알 수 있고, 동서 행각 안쪽 주춧돌은 사각이므로 본래 방이었음을 알 수 있습니다. 동서쪽 행각 기둥을 받치는 주춧돌을 보면 안쪽은 네모지고 바깥쪽은 둥근 이유가 여기에 있습니다.

일제 강점기 때 행각에 있던 사무실과 창고 등이 헐리고 회랑으로 바뀌었습니다.

그런가 하면 남쪽 회랑에는 기둥에 연꽃무늬가 새겨진 주련(柱聯)이 붙어 있습니다. '주련'은 기둥이나 벽 따위에 장식 삼아 세로로 써서 붙이는 글씨를 가리키는 말입니다. 건물 주인이 추구하는 가치관이나 기원하는 마음이 주련에 담겨 있습니다.

"연꽃을 보니 불교를 믿었던 모양이네."

그렇지 않습니다. 연꽃은 불교도뿐만 아니라 유학자에게도 의미 있는 꽃이었습니다. 진흙 속에서 피지만 우아한 모습에서 고고한 군자를 떠올린 까닭입니다. 탐욕 없는 정치를 펼치겠다는 뜻을 나타내고자 연꽃 주련을 기둥에 나타낸 것입니다.

"터무니없는 일이야."

한편 '터무니없다'라는 표현의 '터무니'는 주춧돌을 이르는 말입니다. 터를 잡았던 자취인 주춧돌을 '터의 무늬'라고 말한 데서 유래된 단어입니다. 무너진 건물에서 터의 무늬를 보면 건물의 기본 형태를 대략 파악

할 수 있으므로, '터무니'는 근거를 미리 살펴봄을 이르는 말로 쓰였습니다. 이에 연유하여 오늘날 '터무니없다'라는 말은 '반드시 있어야 할 근거가 없다'라는 뜻으로 쓰이고 있습니다.

근정전과 오방신과 12지신

근정문 안에 들어서서 정면을 바라보면 근정전(勤政殿)이 있습니다. '천하는 부지런해야 잘 다스려진다'라는 뜻을 가진 근정전은 규모가 큰 국가적인 행사를 치른 전각(殿閣)입니다. '전각'은 임금과 왕족이 사는 큰 건물을 이르는 말이며, 여기에서 전하(殿下)라는 호칭이 생겼습니다.

"전하! 통촉하여 주시옵소서!"

근정전은 큰 행사가 있을 때 사용한 전각입니다.

이렇게 말할 때의 '전하'는 직역하면 '큰집[殿] 아래[下]'에 있다는 뜻이고 실제 의미는 정전 아래에 있는 신하들이 임금을 직접 호칭할 수 없기에 자신을 가리킨 데서 비롯된 호칭입니다. 조선 시대 내내 국왕에 대한 존칭은 '전하'였습니다.

하지만 고종이 대한 제국을 선포한 뒤에는 '폐하(陛下)'로 존칭을 바꾸었습니다.

'폐하'는 '섬돌(계단) 아래'라는 뜻의 제후 존칭입니다. 계단 위에 있다는 것은 지체가 높음을 뜻합니다. 진시황 이후 중국에서는 황제를 직접 호칭하지 않고 계단 밑에 있는 호위병을 부르는 대리 호칭으로 '황제'라는 말을 사용했습니다.

고종은 진정한 자주독립국임을 강조하고자 전하 대신 폐하를 쓰게 한 것입니다.

거친 박석을 마당에 깔아놓은 이유

"걸을 때 넘어지지 않게 조심해야겠네요."

근정전 마당을 보면 거친 박석(얇고 넓적한 돌)이 깔려 있습니다. 박석 표면이 울퉁불퉁해서 걸어 다니기에 불편합니다. 왜 그랬을까요?

여기에는 여러 이유가 숨어 있습니다.

가장 큰 이유는 조심해서 천천히 걷도록 하기 위함입니다. 신성한 공간이므로 아무리 급해도 뛰지 못하게 일부러 표면이 거친 박석을 깔아 놓은 것입니다.

두 번째 이유는 비 오는 날에도 신발이 젖지 않도록 배려하기 위함입니다. 비가 내릴 때 빗물은 박석 사이로 흘러내려서 빗물이 마당에 고이지 않습니다.

"어떻게 그럴 수 있을까요?"

또 다른 비밀은 뜰 전체를 비스듬하게 만든 물매에 있습니다. '물매'는 수평을 기준으로 한 경사진 정도를 가리키는 건축 용어입니다. 근정전 뜰은 남쪽보다 북쪽이 높습니다. 대략 1미터쯤 높음에도 뜰과 더불어 동

근정전 행각 지붕은 마당 높이에 따라 조금씩 낮게 되어 있습니다.

서 행각의 바닥과 지붕을 경사지게 설계했기에 사람들은 그걸 잘 느끼지 못합니다.

동서 행각의 지붕과 기둥을 유심히 보면 남쪽에서 북쪽으로 갈수록 낮아집니다. 남쪽으로 준 물매만큼 기둥 높이를 조절했기 때문입니다. 그러하기에 박석 아래에 별다른 수로 시설이 없고 남쪽 행각 모서리에 배수구가 하나뿐임에도 아무리 비가 많이 내려도 뜰에 빗물이 고이지 않습니다.

마당에 박힌 쇠고리의 정체

박석은 빛을 난반사하는 성질이 있는데 이것도 근정전에서 유용하게 작용합니다. '난반사'는 울퉁불퉁한 바깥면에 빛이 부딪쳐서 사방팔방으로 흩어지는 현상을 이르는 말입니다. 박석에 반사된 빛은 사방으로 흩어지므로 태양의 기울어짐에 관계없이 오전 오후 내내 일정한 햇빛을 근정전 안으로 들여보내는 역할을 합니다.

"행사를 준비하라!"

근정전 앞마당에서는 국가적인 행사가 이따금 열렸습니다. 이를테면 정종, 세종, 단종, 세조, 성종, 중종, 명종, 선조가 근정전에서 즉위식을 올렸습니다. 이때 관리들은 신분에 따라 품계석 옆에 섰습니다. 임금 자리에서 볼 때 왼쪽은 문반, 오른쪽은 무반의 품계석이고 임금과 가까울

마당에 박힌 쇠고리는 차양 칠 때 끈을 맨 고리입니다.

수록 계급이 높습니다. 품계석 근처에는 쇠고리가 단단하게 박혀 있습니다.

"쇠고리는 왜 있을까요?"

근정전 마당에 있는 쇠고리는 행사와 관련된 설치물입니다.

임금이 자리한 월대(月臺)에는 지붕이 없습니다. '월대'는 건물 앞에 설치하는 넓은 기단을 이르는 말이며, 중요한 행사가 있을 때 임금이 자리 잡고 앉는 곳이었습니다. 행사가 열릴 때면 햇볕이나 비바람을 막고자 월대 위에 차양(햇볕을 가리기 위하여 치는 장막)을 쳐서 그늘을 만들었습니다. 나무 기둥과 마당에 미리 박아둔 쇠고리는 차양을 칠 때 끈을 매었던 고리입니다.

"아무개는 어디 있지?"

근정전에서 열리는 행사에 참여하는 관리들은 화려한 금관조복에 가죽신을 신었습니다. 모두 제복을 입었으므로 얼굴을 보지 않으면 누가 누구인지 알 수 없습니다. 월대에 앉은 임금이 신하를 살펴볼 때 햇빛이 반사되어 눈이 부시면 저절로 얼굴을 찡그리게 됩니다. 박석은 빛이 난반사되므로 그걸 막아 주는 역할을 하기에, 옥좌에 앉은 국왕은 눈부심 없이 신하들을 내려다볼 수 있습니다.

근정전이 실제 크기보다 웅장해 보이는 까닭

근정전은 밖에서 보면 지붕이 두 개라서 2층 건물로 보입니다. 하지만 안에서 보면 1층 건물입니다. 이렇듯 겉은 2층이지만 속은 1층인 건물을 통층(通層)이라고 합니다. 통층은 건물을 장엄하게 보이기 위한 건축 기법이며 주로 궁궐 정전이나 사찰 대웅전에 사용했습니다.

"조정에서 권력 다툼이 벌어졌다."

이 같은 말에서 '조정(朝廷)'의 의미는 임금과 신하들이 모여 나라의 정치를 의논하고 집행하는 곳이고, 구체적으로는 근정전 앞 넓은 마당을 가리킵니다. 이곳에서 국가의 큰 행사들이 거행됐기에 이런 표현이 생겼습니다.

"조정의 넓이는 어떻게 정했을까요?"

한옥을 지을 때는 건물 높이에 비례하여 마당 넓이를 만듭니다. 무조건 마당을 넓게 하면 건물이 썰렁해지고 너무 좁으면 답답해집니다. 그걸 고려하여 집 높이에 맞춰 마당 넓이를 정했습니다. 보편적으로 마당에서 본 건물 높이가 15~18도 각도일 때 사람 시선이 가장 편안함을 느낀다고 하는데 한옥이 바로 그렇습니다.

근정전은 2단 월대 위에 세워서 높이가 대략 24미터 정도 되며, 행각 모퉁이에서 정전을 바라보면 15~18도 정도 높이가 됩니다. 신하들이 목 아프지 않은 편한 시선으로 국왕을 바라볼 수 있게 한 것입니다.

"마당이 그렇게 넓지 않은데도 근정전은 왜 웅장해 보일까요?"

그 비밀은 마당의 높이를 다르게 조절한 데 있습니다. 마당 남쪽이 북쪽보다 1미터가량 낮고 월대도 두 단으로 구성되어 있으므로 신하들은 아래에서 위를 우러러보게 되고 근정전도 웅장해 보이는 것입니다.

근정전 마당 넓이는 건물 높이와 시선 각도를 고려하여 설계되었습니다.

월대 난간과 계단에 서수를 많이 배치한 이유

월대는 중요한 건물 밑에 깐 넓은 단을 가리키는 말이며, 근정전에는 경복궁에서 유일하게 2단으로 쌓은 월대가 있습니다. 월대 가장자리에는 돌난간을 둘렀고, 월대에는 층마다 계단이 6개씩 모두 12개가 있습니다.

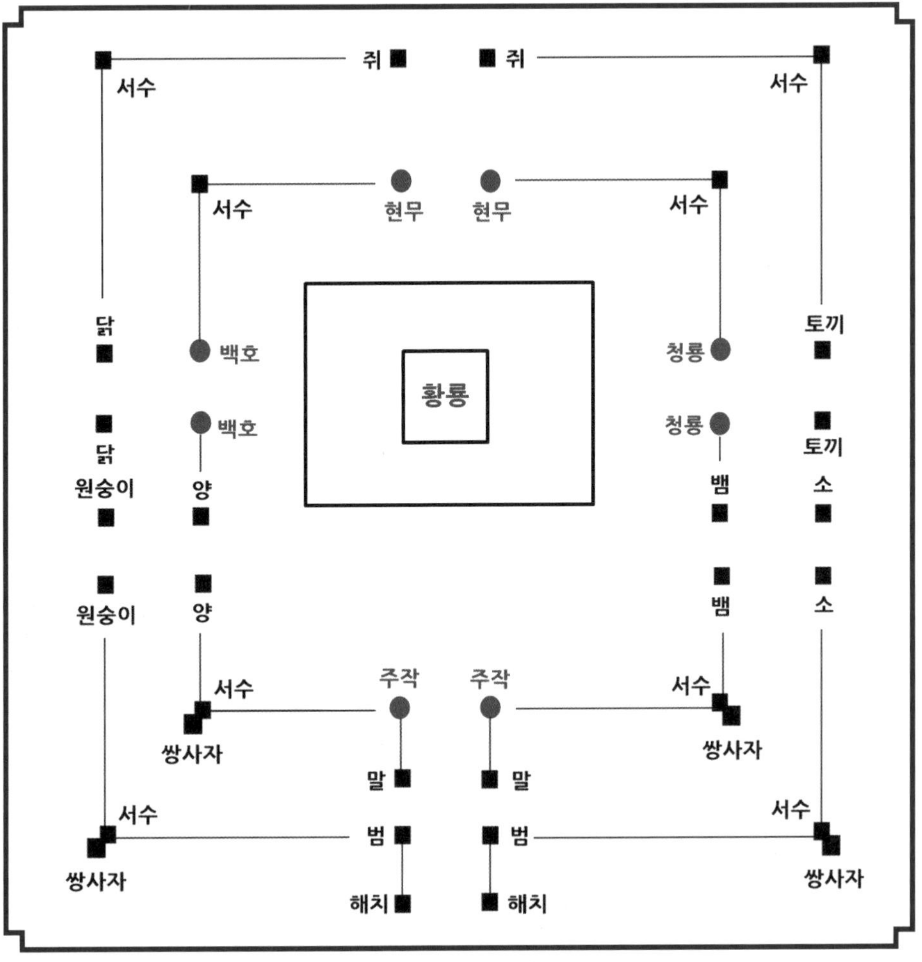

경복궁 최고 전각을 수호하기 위해 서수들이 사방을 지키고 있습니다.

“근정전 월대에 어째서 동물들이 유난히 많을까요?”

계단과 돌난간에는 모두 16가지 총 41개의 조각상이 장식되어 있습니다. 사방팔방 궁궐을 지키는 상징물입니다. 2단에 걸친 월대 모서리에는 서수라고 불리는 상서로운 동물이 눈을 부릅뜨고 근정전을 지키고

위에서부터 시계 방향으로 청룡, 백호, 주작, 현무입니다.

있습니다. 모서리의 서수는 모두 8개입니다.

"나머지는 어떤 동물일까요?"

상단 월대 동서남북 문로주(門路柱, 문 옆에 있는 기둥)에는 각각 청룡, 백호, 주작, 현무가 자리를 잡고 있습니다. 동쪽의 용, 서쪽의 범, 남쪽의 봉황, 북쪽의 거북 모습을 한 석상이 그것입니다. 사방신(四方神)은 힘이 세므로 상단 월대 계단에서 잡귀를 막는 것입니다.

하단 월대에는 12지신이 각자 맡은 방위와 시각에 따라 자리를 잡고 있습니다. 동쪽은 토끼신, 남쪽은 말신, 서쪽은 닭신, 북쪽은 쥐신이 맡고 있습니다. 상단 사방신 바로 아래에 있는 동물들이 그것입니다.

"다른 방향의 동물들은 뭘까요?"

이렇게 배치하고 남은 십이지 동물은 시간에 따라 다시 순서를 정리했습니다. 12지신은 하루 24시간을 두 시간씩 지키는데, 이에 따르면 밤 11시부터 새벽 1시까지는 쥐신이, 새벽 1시부터 새벽 3시까지는 소신이, 새벽 3시부터 5시까지는 범신이 차례로 맡았습니다. 월대 상단과 하단에 시간 순서로 그 동물들이 자리 잡고 있지만, 일부는 띠 순서에 맞지 않는 방향에 배치됐습니다. 사방신과 겹쳐서 생긴 일로 여겨집니다.

"개와 돼지가 보이지 않네요."

그렇지만 12지신 중 개신과 돼지신은 아예 없습니다. 그 이유에 대해서는 명확히 알려진 바 없습니다. 개와 돼지를 천박하게 여겨서 뺐을 것

위에서부터 시계 방향으로 쥐, 소, 토끼, 뱀, 말, 양, 원숭이, 닭, 범입니다.

이라는 의견도 있지만 공감하기는 어렵습니다. 그보다는 개와 돼지가 십이지 순서에서 가장 뒤에 있는 까닭에 자리가 없어 배치되지 않은 것으로 판단됩니다.

호랑이 석상이 민화 호작도에 등장하는 해학적인 범을 연상시키는 데서 알 수 있듯, 사방신이든, 십이지신이든 무섭다기보다는 귀여운 느낌이 드는데, 이는 순박하고 장난기 있는 한국인의 심성을 보여 주고 있습니다.

쌍사자 석상과 새끼가 뜻하는 것

근정전 앞쪽 월대 양편 모퉁이 서수 아래에 있는 동물은 쌍사자입니다. 근정전 뒤쪽 월대 모서리에는 없으므로 쌍사자가 분명합니다. 쌍사자는 궁궐 정면 출입문을 지키는 서수이기 때문입니다.

"새끼를 함께 조각한 이유는 뭘까요?"

월대 쌍사자는 암수 한 쌍에 새끼 한 마리가 곁들여진 모습입니다. 이 또한 쌍사자의 특징입니다. 중국 전설에 따르면 수구(繡球, 비단 공)에서 사자 새끼가 태어났다고 합니다. 이때의 새끼는 대를 이은 것이므로, 쌍사자 옆에 장식된 새끼는 '대를 이어 지킨다'라는 의미가 됩니다.

"사자는 왜 고개를 젖혀서 궁궐을 바라볼까요?"

흥미롭게도 쌍사자 두 마리가 바라보는 방향은 각기 다릅니다. 암컷은 고개를 돌려 십자각 방향을 바라보고 수컷은 근정전을 지켜보고 있습니다. 다시 말해 동쪽 한 쌍은 근정전 서쪽 처마와 동십자각을, 서쪽 한 쌍은 근정전 동쪽 처마와 서십자각을 바라보고 있습니다.

쌍사자를 굳이 고개 돌린 모습으로 표현한 이유는 '노려보기'에 있습니다. 노려보는 자세는 상대에게 매우 강한 인상을 주는데, 정면에서 노려보는 것보다 고개 돌려 노려보는 모습이 훨씬 강렬합니다. 지키는 서수들의 자세를 대체로 고개 돌려 조각한 이유가 바로 여기에 있습니다.

새끼가 함께 있는 석상은 쌍사자입니다.

황룡과 7개 발톱

그런데 월대에는 사방신만 있지 오방신(五方神) 중 하나가 보이지 않습니다. '오방신'은 좌청룡 우백호 남주작 북현무 중황룡을 이르는 말입니다. 월대 동서남북에 청룡 백호 주작 현무가 있으므로 그 한가운데에는 황룡이 있어야 합니다.

"가운데를 맡은 황룡은 어디에 있을까요?"

황룡은 근정전 안쪽 가운데 천장에 매달려 있습니다. 조명 시설도 없는데 천장의 황룡은 매우 잘 보입니다. 마당의 박석에서 난반사한 햇빛 덕분입니다.

용이 승천하려면 여의주가 있어야 합니다. 하여 황룡은 여의주를 희롱하고 있습니다. 용의 승천은 위대한 사람이 지극한 세계에 올라갔음을 의미합니다. 근정전 천장의 황룡은 여의주를 희롱하면서 승천하는 장면을 표현한 것이고, 국왕이 자기 뜻을 이루기를 희망한 상징입니다.

"발톱이 일곱 개나 되네요!"

황룡의 발톱은 특이하게도 7개입니다. 발톱 네 개인 사조룡이 국왕을 상징하고, 다섯 개인 오조룡이 황제를 상징함을 생각하면 별난 일입니다. 발톱 일곱 개인 칠조룡은 당시 국내외 상황에 영향받은 것으로 여겨집니다.

흥선 대원군이 경복궁을 중건할 무렵 조선은 외세의 위협과 개화 물결에 크게 위협받았습니다. 이런 상황에서 흥선 대원군은 아들인 고종의 권위를 한껏 강조하고자 칠조룡을 천장에 장식하게 한 것으로 판단됩니다. 당시 국왕의 권위가 약한 상태였기에 그럴 필요성을 강하게 느꼈기 때문입니다.

칠조룡은 오방신 중 황룡을 상징하는 동시에 국왕을 상징합니다.

용상과 일월오봉도의 의미

근정전 안을 정면으로 들여다보면 높은 단상이 있고 그 위에 붉게 칠해진 용상(龍床)이 있습니다. '용상'은 임금을 용에 비유하여 임금이 일할 때 앉던 평상을 가리킨 말입니다. 귀한 사람이 앉는 자리라는 뜻에서 옥좌(玉座)라고도 말합니다. 임금의 전용 의자 테두리에는 용을 장식해서 왕권을 나타냈습니다.

"왜 의자가 하나뿐일까요?"

조선 시대에 의자는 특별한 신분을 나타내는 상징이었기에, 근정전에서는 임금만 의자에 앉을 수 있었습니다. 서 있는 신하들이 높은 단상에 앉아 있는 임금을 우러러보게끔 만드는 장치였습니다.

"해와 달이 함께 그려진 그림은 무슨 뜻일까요?"

옥좌 뒤에는 일월오봉도(日月五峯圖) 병풍이 배경으로 있습니다. 일월오봉도에는 십장생도와 달리 사슴, 거북, 두루미 등 무병장수를 상징하는 동물이 등장하지 않습니다. 영원불멸을 강조하고자 생명력 있는 동물을 그리지 않은 것입니다.

그림과 색채가 정해져 있는 일월오봉도는 왕권을 상징하는 그림입니다.

하얀 달과 붉은 해는 음양을 나타내는 동시에 왕비와 국왕을 상징합니다. 다섯 봉우리는 우리나라를 대표하는 다섯 산을 상징하는 동시에 국왕이 다스리는 국토를 의미합니다. 조선 시대에 오악(五嶽)으로 꼽힌 다섯 산은 백두산, 금강산, 묘향산, 지리산, 삼각산을 가리킵니다. 오악은 음양오행에 따라 각기 북 동 서 남 중앙을 상징합니다.

힘찬 물줄기의 폭포와 붉은 소나무는 강한 생명력을 상징합니다. 산 아래에서 넘실대는 파도는 조정을 상징합니다. 파도를 이르는 한자 潮

일월오봉도는 국왕의 지배력과 왕권의 영원함을 상징하는 그림입니다.

(조수 조)가 조정(朝廷)의 조(朝)와 발음이 같음을 고려해서 그렸으니까요. 백관이 입는 관복 흉배에 파도 문양을 수놓은 것도 이 때문입니다.

일월오봉도는 1만 원권 지폐 앞면 세종 대왕 어진의 바탕 그림이기도 합니다.

임금은 어떻게 옥좌에 올라가 앉았을까?

국왕이 옥좌에 앉기 위해서 앞이나 옆에 있는 계단으로 걸어 올라갔을까요? 그렇지 않습니다. 임금은 그림 뒤에 놓인 비밀 계단으로 올라가서 일월오봉도의 중간을 열고 들어가 옥좌에 앉았습니다. 신비한 분위기를 연출하기 위함이었지요.

지금은 보이지 않지만, 일제 강점기에 찍은 사진을 보면 일월오봉도가 가로로 이등분 되어 있고, 그 아랫부분은 세로로 4등분 되어 있음을 확인할 수 있습니다. 임금은 뒤에서 그 가운데를 열고 들어가 용상에 앉은 것입니다.

앞 계단은 임금에게 서류를 바칠 신하가 걸어 올라가는 용도였고, 옆 계단은 시중드는 내시가 이용하는 계단이었습니다.

근정전은 이렇듯 건축학적으로나 예술적으로나 상징적으로나 의미가 큰 문화유산이기에 국보 제223호로 지정되어 있습니다.

사정전과 운룡도

근정전 바로 뒤에는 사정전(思政殿)이 있습니다. 사정전의 이름을 지은 정도전은 "천하 이치는 생각하면 얻을 수 있고 생각하지 아니하면 잃어버리는 법입니다."라고 그 의미를 밝혔습니다. 임금이 나랏일에 대해 깊이 생각하여 판단하기를 희망한 것이지요.

사정문은 임금이 평소 일하는 사정전으로 들어가는 출입문입니다.

사정전은 임금이 아침에 출근하여 저녁에 퇴근하기 전까지 일하는 공간이었습니다. 근정전은 국가적인 큰 행사가 있을 때 이용하는 공간이었고, 임금은 평소에 사정전에서 일했습니다. 사정전은 왕과 신하가 함께 경연(經筵)하거나 나랏일을 의논하는 곳이기도 했습니다.

"경연이란 무엇일까요?"

'경연'은 어전에서 신하가 임금에게 유학 경서를 강론하는 일을 이르는 말입니다. 경연은 해 뜰 무렵에 주로 이루어졌습니다. 임금이라고 마음대로 늦잠을 자는 게 아니라 남보다 부지런히 일어나 공부한 것입니다.

사정전에는 온돌방이 없습니다. 하여 날씨가 추우면 양쪽에 있는 만춘전과 천추전을 이용했습니다. 두 건물에는 마루방과 온돌방이 있습니다. 건물 뒤편에는 당연히 굴뚝도 있습니다.

"그럼 다녀오겠사옵니다."

사정전은 왕이 외국으로 사신을 보낼 때 하직 인사를 받은 곳이었고, 지방에 파견됐다가 한양으로 돌아온 관리를 맞이하던 곳이기도 했습니다. 요컨대 사정전은 임금이 일상적으로 일하면서 멀리 나가는 관리들을 격려하거나 다녀온 곳에 대한 보고를 받은 곳입니다.

붉은 용과 구름의 의미

"구름 속 용이 꿈틀거리는 형상이 신비하네."

사정전 정면 벽에는 쌍룡이 여의주를 희롱하는 그림이 있습니다. 발톱이 넷인 사조룡입니다. 수묵화 기법으로 채색하여 구름을 그리지 않았는데도 용이 구름을 휘감고 있는 모습으로 보입니다.

"구름을 타고 하늘을 오르니 운룡이군."

운룡(雲龍)은 구름을 타고 하늘을 오르는 용이라는 뜻입니다.

그렇지만 사정전의 운룡에는 또 다른 의미가 담겨 있습니다. 구름과 용을 함께 그린 사정전 운룡도(雲龍圖)에서 구름은 신하, 용은 임금을 상징합니다. 국왕과 신하에게 '서로 협력해서 일하라'는 상호 보완적인 존재임을 일깨워 주는 그림인 것입니다. 이때 붉은빛은 강렬한 열정을 상징합니다.

운룡도는 임금과 신하가 잘 화합해야 좋은 나라를 이끌 수 있음을 상징합니다.

강녕전과 용마루

사정전 바로 뒤에는 강녕전(康寧殿)이 있습니다. 강녕전은 왕이 살던 집입니다. 왕이 퇴근하여 쉬는 곳을 내전(內殿)이라고 하는데, 강녕전은 내전 가운데 하나이며 왕이 자는 정전입니다.

"그만 침전에 드시지요."

내시가 이렇게 말했을 때의 침전은 어디일까요? 강녕전이 바로 그 '침전'

강녕전은 임금이 퇴근한 뒤 쉬거나 잠자는 내전입니다.

입니다. 강녕전 좌우에 있는 연생전과 경성전은 '작은 침전'이란 뜻에서 '소침'이라고 불렀습니다. 동쪽 소침 연생전, 서쪽 소침 경성전도 국왕의 휴식을 위한 건물입니다.

강녕전에 용마루가 없는 이유

용마루는 지붕 가운데 부분의 가장 높은 곳에 있는 수평 마루를 이르는 말입니다. 궁궐 지붕 꼭대기에 길게 하얗게 칠해진 부분이며, 용이 길게 엎드린 형상을 표현한 것입니다. 용마루는 국왕을 상징하는 건축 장식이기에 임금이 낮에 일하는 근정전과 사정전에는 용마루가 있습니다.

하지만 강녕전 지붕에는 용마루가 없습니다. 왜 그럴까요?

강녕전에서 잠자는 사람은 왕입니다. 그래서 강녕전에는 용마루를 만들지 않았습니다. 주인으로서의 용이 자는 곳인데 또 다른 용이 온종일 자리 잡고 있을 수 없기 때문입니다.

용마루 없는 지붕에는 꼭대기에 양쪽으로 넘어가는 기와를 장식했습니다. 이를 '구부러진 기와'라는 뜻에서 '곡와'라고 합니다. 강녕전 지붕을 보면 곡와가 사용됐음을 확인할 수 있습니다.

강녕전에 용마루는 없지만, 치미(雉尾)는 있습니다.

"치미란 무엇일까요?"

치미는 지붕 꼭대기 양쪽 끝머리에 얹는 기와를 이르는 말이며 길상

(吉祥)과 벽사의 상징입니다. 우리나라는 삼국 시대부터 왕궁이나 사찰 지붕에 봉황 날개를 본뜬 모양으로 만들었습니다. 고려 시대에는 화재 예방 목적에서 물을 뿜어내는 이문(螭吻)으로 그 형태가 바뀌었고 조선 시대까지 이어졌습니다.

이문은 용(龍)의 아홉 아들 중 둘째입니다. 이문은 먼 곳을 바라보기

강녕전 지붕에 용마루는 없으나, 물을 뿜는다는 상상의 동물 치미는 있습니다.

좋아하고 불을 끄는 기운이 강하기에 궁궐 지붕에 장식됐습니다. 경복궁 다른 전각에는 지붕 꼭대기에 세워졌지만, 이문은 용의 자식이므로 강녕전에는 조금 낮은 잡상 뒤에 세워졌습니다.

특별한 온돌 마루가 놓인 까닭

강녕전은 침소이므로 당연히 온돌이 놓여 있습니다. 그런데 그 온돌이 매우 특별합니다. 강녕전 마루는 어디에서도 보기 어려운 온돌 마루입니다.

구들장 위에 황토를 바른 일반 온돌의 경우 불기운이 강한 아랫목은 뜨겁고 윗목으로 갈수록 온도가 낮아집니다. 이에 비해 나무로 된 온돌 마루는 보통 온돌방과는 달리 윗목 아랫목 할 것 없이 골고루 은은하게 온기를 전해 줍니다. 국왕 부부는 신성한 존재이기에 특별한 온돌 마루로 사시사철 춥지 않게 한 것입니다.

그런데 온돌 마루는 만들기 어렵고 유지하기도 힘듭니다. 한마디로 설치와 유지에 돈이 많이 듭니다. 그래서 강녕전의 가운데 방과 교태전의 가운데 방에만 온돌 마루를 깔았습니다.

강녕전 아래쪽에 아궁이가 있습니다. 굴뚝은 강녕전 뒤 교태전으로 출입하는 양의문 옆 벽에 붙어 있습니다. 눈여겨보지 않으면 발견하지 못하고 지나치기 쉽습니다. 강녕전 온돌방에서 나온 연기는 이곳 굴뚝을 통해 빠져나갑니다.

양의문 오른쪽 굴뚝에는 '천세만세', 왼쪽에는 '만수무강' 문양이 있습니다. '천세만세'는 왕실의 번영을 기원한다는 뜻이고, '만수무강'은 왕의 장수를 기원한다는 뜻을 지니고 있습니다.

"강녕전 월대의 용도는 뭘까요?"

강녕전에는 넓은 대청 앞에 시원하게 펼쳐진 월대가 있습니다. 근정전 월대보다는 작은 규모인데, 이는 개인적인 연회를 고려한 크기입니다. 바꿔 말해 강녕전 월대는 왕실 잔치를 위한 공간입니다. 왕비나 세자가 생일을 맞으면 강녕전 월대에서 잔치를 벌였고, 왕실 종친들을 모셨습니다.

강녕전 굴뚝은 교태전으로 들어가는 양의문 양쪽에 있습니다.

교태전과 태극

강녕전 바로 뒤에는 교태전(交泰殿)이 있습니다. 교태전은 왕비의 침전이며, 강녕전과 마찬가지로 용마루가 없습니다.

"교태가 무슨 뜻일까요?"

'교태'는 음양의 조화로 사물을 형성하는 태극도설을 반영한 명칭입니다. 하늘과 땅의 기운이 화합하여 만물을 생성하듯, 태극의 음양을 주고받아 왕

교태전은 왕비를 위한 침전입니다.

자 잉태를 기원하는 이름입니다. 교태전 정문 양의문(兩儀門)의 '양의'도 '양과 음'을 뜻합니다.

"양과 음이 만나면 생명이 탄생한다오."

양의문 바깥 강녕전은 남성 공간이고 양의문 안쪽 교태전은 여성 공간이므로, 이 문을 연다는 것은 우주가 열림을 의미합니다. 음양이 화합하여 왕자가 많이 태어나기를 바라는 뜻에서 그렇게 이름 붙인 것입니다.

"왕비는 어째서 왕과 같이 지내지 않았을까요?"

조선은 유교(儒敎)를 중시했기에 남자와 여자 사이에 분별이 있어야 한다는 유교주의를 따랐습니다. 이에 따라 양반들은 부부라도 각자의 공간을 따로 가졌습니다. 민간에서 아내는 안채를 차지하고 남편은 사랑채에서 머물렀습니다. '안방마님'인 아내가 지내는 곳은 안채 또는 안방, 남편이 책을 읽거나 손님을 맞이한 곳은 사랑채 또는 사랑방이라고 불렀습니다.

강녕전이 사랑채라면, 교태전은 안채에 해당합니다. 국왕과 왕비도 각자의 공간을 가진 것입니다.

국왕 부부는 어디서 어떻게 잤을까?

교태전은 정면 9칸이 되는 큰집입니다. 9칸의 넓이를 파악하려면 한옥의 단위를 알아야 합니다.

한옥에서 1칸은 기둥과 기둥 사이의 거리를 나타내는 단위인데, 일반적으로 여섯 자 길이입니다. 미터로 계산하면 1.81818미터, 약 182센티미터 정도 됩니다. 1칸은 한옥 건물의 기준 규격이며, '단칸방'은 칸이 단 하나뿐인 방을 이르는 말입니다.

"국왕 부부는 어디서 잤을까요?"

교태전은 건물 가운데에 6칸짜리 큰 마루가 있고 좌우에 3칸짜리 온돌방이 있습니다. 좌우 온돌방은 井(우물 정) 자 모양으로 칸막이를 두었습니다. 그대로는 큰방 하나이지만, 장지문을 닫으면 9개 방이 되는 구조입니다.

이렇게 만든 데에는 이유가 있습니다.

가운데 방에서 왕과 왕비가 잠을 자면, 둘레에서 방 하나씩마다 상궁이 한 명씩 앉아 밤새며 지켰습니다. 왕과 왕비가 머리를 둔 동쪽 작은 방만은 비워두었습니다. 존엄하신 국왕 부부 머리맡에 앉는 것은 불경한 일이기에 그렇습니다.

이때 가운데 방문은 모두 닫았고, 둘레방끼리의 칸막이는 열어두었습니다. 혹시라도 어느 상궁이 국왕 부부에게 돌발적인 행동을 할까 싶어 서로 감시하게 하기 위함이었지요.

"으흠, 으흠."

왕과 왕비가 잠자리를 같이하면 젊은 상궁들은 자기가 앉았던 방에서 물러나고, 나이 많은 상궁 3명만 남아서 자리를 지켰습니다. 젊은 상궁이 늙은 상궁보다 육체적 사랑에 부끄러움과 부러움을 크게 느끼기에 그리 조치한 것입니다.

아미산과 굴뚝

교태전 뒤쪽에는 인공으로 조성된 작은 언덕이 있습니다. 그 언덕에 이름 붙인 '아미산'은 중국에서 가장 아름답다는 산 이름을 빌린 명칭입니다.

그만큼은 아니지만 교태전 아미산은 매화, 모란, 앵두, 철쭉 등의 꽃나무와 소나무 등을 심어 독특한 아름다움이 느껴지도록 만들어졌습니다.

"정원을 왜 건물 뒤쪽에 만들었을까요?"

아미산은 계단식으로 만든 정원입니다.

서양에서는 건물 앞에 정원을 만들고 잔디를 깔았지만, 우리나라에서는 집 뒤편에 작은 정원을 만들었습니다. 앞마당은 사람들이 자주 다니는 공간인 데다 때때로 잔치를 벌이는 공간이었기 때문입니다. 집 뒤쪽에 장독을 놓거나 작은 꽃밭을 가꾼 이유가 여기에 있습니다. 궁궐의 경우에는 건물 뒤쪽에 있는 정원 규모가 컸기에 특별히 후원(後園)이라고 불렀습니다.

"언덕을 어떻게 만들었을까요?"

교태전 아미산은 경회루 연못을 팔 때 나온 흙을 쌓아 만든 작은 언덕입니다. 이때 비스듬한 경사가 아니라 계단식으로 꽃밭을 조성하고 각각의 단마다 괴석(怪石), 석분(石盆), 물확 그리고 굴뚝을 놓았습니다. 사이사이에는 꽃과 나무를 심었고요.

괴석과 돌그릇에 담긴 상징

"괴석이란 뭘까요?"

괴석은 직역하면 '괴상하게 생긴 돌'이지만 그 의미는 두 가지입니다. 어떤 형태가 느껴지는 돌을 통해 예술미를 느끼는 동시에 행운을 기원하기 위함입니다. 예컨대 말처럼 보이는 괴석의 경우에는 악귀와 병마를 물리치는 상징입니다.

"꽃이 새겨진 매끈한 돌은 뭘까요?"

석함(石函)입니다. 석함은 호수를 상징하는 돌그릇인데, 정원이라면

마땅히 물이 있어야 하므로 석함을 둔 것입니다. 서쪽 함월지(涵月池)는 '달을 머금은 연못', 동쪽 낙하담(落霞潭)은 '노을이 지는 연못'이란 뜻이니 작은 석함을 보면서 아름다운 연못을 상상했음을 알 수 있습니다.

"연꽃 모양으로 생긴 돌은 뭘까요?"

석지(石池)입니다. 돌을 우묵하게 파서 절구 모양으로 만든 물건을 '물확' 또는 '석지'라 하고, 연꽃처럼 만든 물확을 석련지(石蓮池)라고 합니다. 일반적으로 물확에는 물을 담고 연꽃을 피워서 연못 같은 분위기를 냈지만, 석련지는 그 자체가 연꽃 역할을 합니다.

석련지에 있는 두꺼비 조각은 달에 사는 선녀를 상징합니다.

"석련지의 두꺼비는 무슨 뜻일까요?"

또한 석련지 언저리에는 돌조각 두꺼비 몇 마리가 앙증맞게 자리 잡고 있는데, 달의 선녀를 나타냅니다. 고대 전설에 따르면 두꺼비는 달나라로 간 선녀 항아가 변신한 모습이므로, 석련지의 두꺼비는 물 위에 뜬 달의 선녀를 상징합니다.

아미산이 가장 아름다운 때는 언제일까

아미산은 사계절 우아한 아름다움을 보여 줍니다. 괴석, 돌연못, 굴뚝

꽃들이 가득한 봄에 교태전 안에서 바라본 아미산은 한 폭의 그림 같습니다.

등이 조화롭게 배치되어 있기에 그렇습니다. 그렇지만 아미산의 진정한 아름다움을 느끼려면 봄에 가 봐야 합니다. 울긋불긋한 꽃들이 화려하게 핀 아미산은 그야말로 한 폭의 그림과 같거든요.

이때 뒷마당에서는 그 풍경을 제대로 보기 어렵습니다. 아미산이 높은 계단식으로 되어 있으므로 낮은 곳에서는 시선이 제대로 닿을 수 없기 때문이지요. 아미산의 봄 경치를 감상하려면 교태전의 방안이나 쪽마루에서 바라봐야 합니다. 아미산은 교태전에 앉은 왕비가 후원을 잘 감상할 수 있도록 만들어졌기에 그 위치에서 가장 좋은 풍경이 눈에 들어옵니다.

아미산 굴뚝이 보물 제811호로 지정된 이유

교태전 온돌에서 나오는 연기는 아미산 굴뚝으로 빠져나가게끔 설계되었습니다. 4개인 아미산 굴뚝은 목조 건축물을 본떠서 붉은 벽돌을 쌓아 육각형으로 만들었습니다. 그래서 형태가 아름답습니다. 각 벽에는 직사각형으로 회벽을 바르고 갖가지 무늬를 장식했습니다.

"덩굴처럼 보이는 무늬는 무슨 뜻일까요?"

육면 기둥 윗부분에는 덩굴무늬로 테두리를 둘렀습니다. 덩굴무늬는 끊임없이 이어지는 행운을 상징합니다.

그 바로 아래에는 귀면, 두루미, 봉황, 박쥐를 전벽돌로 장식했습니다.

귀면은 잡귀 퇴치, 두루미는 장생, 봉황은 상서로움, 박쥐는 복(福)을 나타냅니다.

중간 회벽에는 모란, 국화, 매화, 대나무, 십장생 등을 장식했습니다. 모란은 부귀, 국화는 불로장수, 매화는 고결함, 대나무는 절개, 십장생은 무병장수를 상징합니다.

맨 아래에는 해치, 불가사리, 박쥐를 전벽돌로 장식했습니다. 재앙을 물리치면서 행운을 부르기 위한 상징입니다.

아미산 굴뚝에는 재앙과 화재를 막기 위한 문양들이 장식되어 있습니다.

전체적으로 굴뚝에 장식된 문양들은 크고 작은 균형으로 예술미를 자아내면서 갖가지 다양한 의미를 지니고 있습니다. 이렇듯 아미산 굴뚝은 조형적으로 아름다우면서도 길상의 상징이 뛰어나기에 보물 제811호로 지정됐습니다.

불가사리가 굴뚝에 새겨진 까닭

굴뚝에 있는 무늬 중 주목할 것이 있으니 불가사리입니다. 곰의 몸에 코끼리처럼 긴 코와 호랑이의 발, 톱날 같은 이빨, 온몸에는 바늘 같은 털이 나 있고 매서운 눈빛을 뿜어내는 서수가 바로 불가사리입니다.

"불가사리는 어떤 동물일까요?"

주둥이가 긴 불가사리는 쇠와 불을 먹으면서 영원히 살고 나쁜 기운을 물리치는 상서로운 영물입니다. 불가사리는 불을 잡아먹기에 혹시 모를 화재를 막으면서, 불을 다루는 궁녀들에게 불조심을 일깨워 주는 역할도 하고 있습니다.

"왜 벽이 아니라 굴뚝에 장식했을까요?"

한옥 굴뚝은 방구들과 연결되었으므로 불가사리는 사악한 기운이 굴뚝으로 들어가지 못하도록 지키는 역할도 합니다. 혹시라도 밤에 악몽을 꾸면 불가사리가 즉시 그 악몽을 먹어치울 터이니, 굴뚝에 새겨진 불가사리는 '아무 걱정 없이 잘 자라'는 배려인 셈입니다.

이런 까닭으로 국왕과 왕비가 함께 잠자며 아기를 낳는 교태전 후원 굴뚝에 불가사리가 새겨진 것입니다. 교태전은 자손이 계속 이어지는 공간이므로, 불가사리는 왕비와 아기의 생명을 지켜 주는 상징입니다.

우리나라 전설에 등장하는 불가사리는 쇠와 불을 먹는 서수입니다.

경회루와 용 그리고 코끼리

'모여서 기뻐하는 누각'이란 뜻의 경회루(慶會樓)는 나라에 경사가 있을 때 연회를 열던 곳입니다. 경회루는 단일 누각으로는 우리나라에서 가장 규모가 큽니다. 임금과 신하가 어울려 경치를 감상하면서 잔치를 벌이던 곳이었지만 평소에는 누구도 얼씬할 수 없는 곳이었습니다.

경회루를 처음 지었을 때는 돌기둥에 용을 그려 넣었습니다. 물에 비친

경회루 누각 아래 기둥에는 원래 용이 그려져 있었습니다.

용이 물살에 따라 출렁이는 모습이 무척 신비했던지 한 외국 사신은 다음과 같이 감탄했습니다.

"용이 거꾸로 물속에 그림자를 지어 물결과 연꽃 사이로 보이기도 하고 숨기도 하는 게 자못 신비로웠다."

하지만 임진왜란 때 경복궁이 불타면서 기둥에 장식된 용도 사라졌습니다. 훗날 흥선 대원군이 경회루를 다시 세웠지만 이때는 기둥에 용을 꾸미지 않았습니다. 재정이 넉넉지 못했기 때문입니다. 그런 데다 6·25전쟁 때 총격전이 벌어지면서 기둥에 군데군데 흉터가 생겼습니다.

돌기둥과 다리에 담긴 뜻

"돌기둥은 몇 개일까요?"

경회루는 이층 규모에 정면 7칸, 측면 5칸 구조의 35칸 건물입니다. 여기에 건물 전체를 큰 한 칸으로 보면 총 36칸인데, 이는 주역 36궁을 건축물로 나타낸 것입니다. 건물을 받치는 기둥은 외곽에 24개 있고 안쪽에 세 겹으로 역시 24개 있습니다. 24개의 기둥은 24절기를 상징합니다. 또한 건물 안쪽 기둥 사이의 전체 칸수는 12칸인데 1년 12달을 의미합니다.

경회루의 모든 구성은 숫자 '6'으로 이뤄졌는데, 이는 물[水]과 관계 있습니다. 음양오행에서 음(陰)의 대표적인 숫자가 6이기에 물의 수를 강조하고자 그렇게 한 것입니다.

흥선 대원군이 경복궁을 중건할 때 화재 예방을 기원하며 청동용(龍) 한 쌍을 경회루 연못에 넣은 것도 물과 관련된 일입니다. 그중 한 마리는 1997년 경회루 연못을 대대적으로 청소할 때 발견됐습니다.

"경회루로 들어가는 다리는 왜 세 개일까요?"

경회루로 통하는 동쪽 문과 돌다리는 3개인데, 이는 삼재(三才)를 상징합니다. '삼재'는 하늘, 땅, 사람 세 가지를 이르는 말입니다. 하늘, 땅, 사람이 하나가 되어 조화롭게 살아가야 함을 나타낸 것입니다.

"임금은 세 다리 가운데 어느 곳으로 다녔을까요?"

그곳은 바로 가장 남쪽에 있는 돌다리입니다. 천지인(天地人) 중 사람을 상징하는 다리이며, 임금이 다니는 곳이므로 다른 두 다리보다 넓습니다.

돌다리 난간에 코끼리 석상이 있는 까닭

돌다리 난간 기둥에는 벽사를 상징하는 여러 동물이 조각되어 있습니다. 그중 특이한 것은 긴 코와 상아를 세밀하게 표현한 코끼리 석상입니다. 코끼리가 전설의 동물이 아님에도 조각된 이유는 무엇일까요?

그에 대한 명확한 기록은 없으나, 추론할 수 있는 근거가 한 가지 있습니다. 태종 때인 1412년 연못을 크게 넓히면서 경회루 확장 공사를 했는데, 그 전해에 코끼리가 우리나라에 처음 들어왔다는 사실입니다.

태종 11년(1411)에 일본 국왕이 코끼리를 조선에 선물로 바쳤습니다. 당시 궁궐 수레와 말을 관장하는 사복시(司僕寺)에서 코끼리를 맡아 길렀으며 많은 사람이 신기해했습니다.

코끼리는 물을 좋아하므로 연못의 물을 코로 빨아들이는 장면을 보여 줬을 것이며, 이에 영향받은 석공이 코끼리를 물의 짐승으로 생각해 다리 난간에 조각한 것으로 여겨집니다.

단언할 수는 없으나, 그밖에는 20세기 이전까지 코끼리 석상을 만든 사례가 없으므로 그렇게 판단됩니다.

코끼리 석상은 경복궁 창건 당시 상황과 관련된 조각입니다.

영추문과 백택

예전에 경회루 남쪽에는 관청이 밀집해 있었습니다. 하지만 일제 강점기에 대부분 헐리고 지금은 수정전(修政殿) 본전만 남은 상태입니다. 수정전은 세종 때 집현전이 있던 곳입니다. 집현전은 학자 양성 기관이자 학문 연구 기관이었으며 훈민정음을 연구한 곳으로 유명합니다. 임진왜란 때 불에 타 없어졌으나 흥선 대원군 때 다시 지으면서 수정전이라는 명칭을 붙였습

영추문은 '가을을 맞이하는 문'이란 뜻입니다.

니다. 현판의 의미는 '정사(政事)를 잘 수행함', 즉 나랏일을 위해 힘쓰는 곳입니다.

수정전에서 서쪽을 바라보면 영추문(迎秋門)이 있습니다. 경복궁의 서쪽 대문입니다. 현판은 '가을을 맞이하는 문'이란 뜻이며, 음양오행에서 서쪽은 가을에 해당합니다. 현판은 현재 검은 바탕에 흰 글씨로 되어 있지만, 원래는 흰 바탕에 검정 글씨였습니다.

백택을 왜 신성하게 여길까

영추문 통로인 홍예천장에는 백택(白澤)이 그려져 있습니다. 백택은 덕이 있는 임금이 나라를 다스릴 때 나타난다고 하는 신령한 동물입니다. 백택은 조선 시대 왕족의 흉배에만 사용된 신령한 동물이며, 태평성대를 상징합니다.

"백호와는 어떻게 다를까요?"

백호는 실제 존재하는 맹수이지만, 백택은 상상의 동물입니다. 중국 전설에서는 사자 몸에 눈 8개를 가진 동물로 묘사했지만, 조선에서는 하얀 범에 반점이 있는 모습으로 표현했습니다. 백호를 신성하게 여겨온 영향이 큽니다.

예부터 우리나라에서는 몸빛이 흰 동물을 상서롭게 여겼습니다. 신화적으로 흰색이 햇빛을 상징하기에 흰 동물을 특별하게 생각한 것입니다.

특히 백호는 풍수에서 서쪽을 지키는 영물인 데다, 백호가 나타나면 왕실의 왕자는 탐욕 없는 맑은 성품을 갖게 된다고 믿었습니다. 마음이 흰색처럼 맑아져 더러운 욕망이 사라지는 까닭입니다.

이에 연유하여 백택은 하얀 범과 비슷한 모습으로 묘사됐습니다. 다만 몸에 줄무늬 대신 반점이나 비늘을 그려 넣어 백호와 구분했습니다. 그래서 백택과 백호는 종종 혼동됩니다.

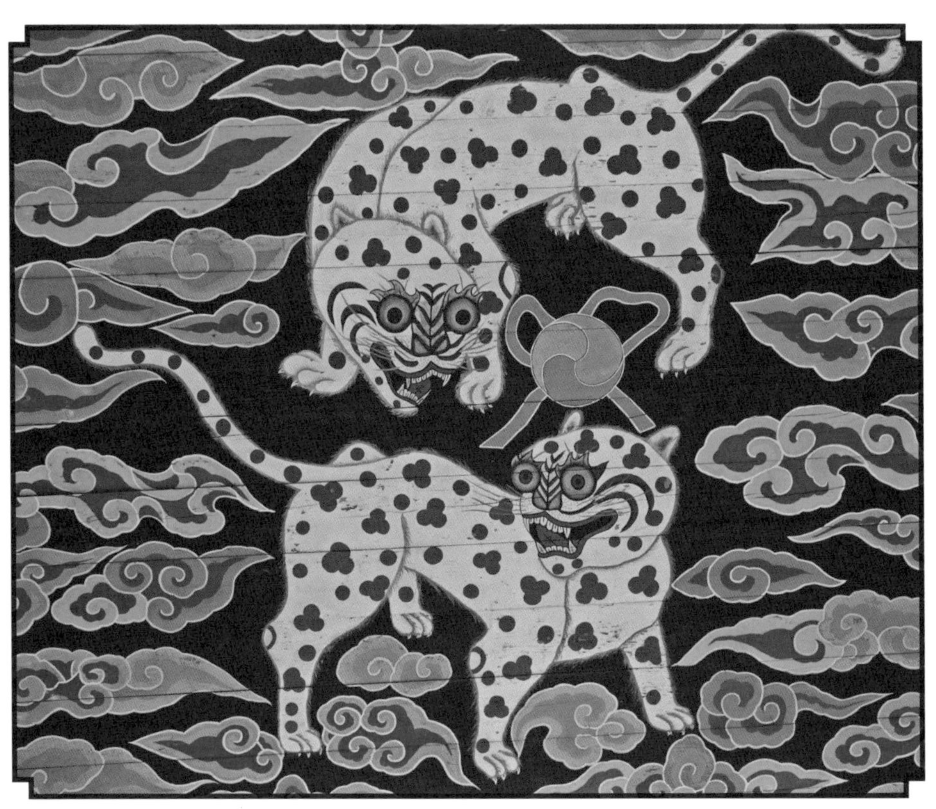

백택은 몸에 반점이 있어 백호와 구분되는 신령한 서수입니다.

백호나 백택이 아닌 기린을 그린 이유

그런데 원래는 영추문 천장에 백택이 아니라 상상의 영물인 기린 두 마리가 그려져 있었다고 합니다. 영추문 천장에 기린이 그려진 구한말 사진이 발견된 적이 있습니다. 전설에 등장하는 기린은 어떤 생명도 해치지 않는 자비로운 서수입니다.

"왜 백호가 아니라 기린을 그렸을까요?"

음양오행에 따른다면 서쪽은 백호인데, 일부러 기린을 그린 이유는 자비심을 나타내려 한 것으로 여겨집니다.

영추문에는 또 다른 서수가 전벽돌로 장식되어 있습니다. 어디에 뭐가 있을까요?

영추문 양옆에는 누각으로 올라가는 계단이 있습니다. 계단 꼭대기 작은 홍예 근처 무늬를 살펴보세요. 홍예 상단 좌우에 봉황 두 마리가 보일 겁니다. 봉황은 임금이 나라를 태평하게 다스리면 나타나는 상서로운 새입니다.

남쪽 광화문에서 왕실의 권위를 한껏 나타냈다면, 서쪽 대문에서는 평화를 강조한 셈입니다. 이런 정서는 영추문으로 드나드는 사람들과도 관련되어 있습니다.

계단 위 작은 홍예문에는 봉황이 있습니다.

영추문으로 어떤 사람들이 출입했을까

서쪽 영추문으로 드나드는 사람들은 일반 관리들이었습니다. 관리들이 일하는 궐내각사가 대부분 서쪽에 있었기 때문입니다. '궐내각사'는 임금이 거처하는 대궐 안에 있는 관아를 통틀어 이르던 말입니다.

"백성이 평화롭게 살 수 있도록 일해야지."

관리들은 착한 품성을 상징하는 기린과 평화를 상징하는 봉황을 보며 충실히 일하리라 마음먹었습니다. 물론 그렇지 않은 관리도 많았지만, 상징적인 그림과 조각은 그걸 일깨워 주는 역할을 했습니다.

"궐내각사에는 어떤 관청이 있었을까요?"

삼정승이 일하는 빈청, 사헌부와 사간원 관리들이 일하는 대청, 임금 비서실에 해당하는 승정원, 경서와 문서를 관리하는 홍문관, 기록을 담당하던 춘추관, 국왕과 왕족을 지키는 오위도총부, 궁궐을 지키는 내삼청, 궁중 음식을 담당한 사옹원, 의약을 맡은 내의원, 궁중 행사에 필요한 기구를 담당한 배설방 등이 영추문 가까이에 있었습니다.

"급히 궁으로 들라 하십니다."

임금에게 부름을 받은 관리들은 영추문을 통해 입궐했고, 마찬가지로 어명을 받아 지방으로 갈 때도 영추문으로 퇴궐했습니다.

신무문과 현무

영추문에서 경회루를 거쳐 북쪽으로 올라가면 신무문(神武門)이 나옵니다. 경복궁을 지키는 북문이며, 현판 이름은 '북쪽을 담당한 현무(玄武)'라는 의미입니다. 현무는 북쪽을 지키는 태음신(太陰神)을 상징하는 동물이며, 거북이 뱀과 결합한 형상을 하고 있습니다. 하여 신무문 천장에는 현무가 그려져 있습니다.

북쪽을 지키는 신무문은 음양오행에서 음기가 강합니다.

현무는 왜 상징색이 검정일까

사신도(四神圖)에 등장하는 현무(玄武)는 '검은 전사'라는 뜻으로 매우 강한 싸움꾼임을 일러 주고 있습니다. 실제로 거북은 한번 물면 아무리 목이 늘어지더라도 절대로 놓지 않는 끈질긴 투쟁력을 갖고 있습니다.

이런 상징 때문에 군대 깃발에는 용과 거북이 그려집니다. 용은 거북

현무는 겨울과 어둠 그리고 물을 상징합니다.

을 부서뜨릴 수 없으며, 거북은 용처럼 높은 곳까지 날아갈 수 없으므로 어느 쪽도 상대에게 지지 않습니다. 따라서 군대 깃발에 함께 그려진 용과 거북은 불패(不敗)를 뜻합니다.

현무는 계절로는 겨울을 상징합니다. 겨울이 되면 만물이 땅속으로 숨어들고 햇빛이 귀해지므로, 현무는 매우 큰 어둠을 의미하는 태음신(太陰神)으로 숭배됐습니다. 그래서 상징색이 검정입니다.

신무문을 오랜 세월 굳게 닫은 이유

경복궁 사대문 중 신무문은 오랜 세월 굳게 닫혀 있었습니다. 왜 그랬을까요?

음양오행에서 북쪽은 음기가 강한 방향입니다. 하여 북문을 열면 음기가 몰려 들어와서 궁궐을 어지럽게 할까 우려해 닫아둔 것입니다. 여기에서 음기는 양기에 반대되는 말이며, 어둠이나 여성 또는 물을 의미합니다.

"여자는 집안에 가만히 있어야 하오."

조선 시대에는 여성이 활발히 움직이는 것을 허용하지 않았습니다. 북문을 열면 음기가 여성들의 마음을 자극할까 봐 평소에는 신무문을 굳게 닫아두었습니다.

그렇지만 가뭄이 심할 때는 신무문을 열었습니다. 기우제를 지내어

음기를 활성화해 비를 내리게 하기 위함이었지요.

국왕이 경복궁 뒤편에 있는 활터로 나갈 때도 신무문을 잠시 열었습니다. 그밖에는 누구도 신무문으로 출입할 수 없었습니다.

근대화된 이후에는 청와대가 가깝다는 이유로 대통령 경호와 보안상 신무문을 열지 않았습니다. 하지만 노무현 대통령 때 신무문을 개방하였고, 지금은 신무문을 통해 청와대를 가까이에서 구경할 수 있습니다.

박쥐 문양의 의미

한편 신무문 누각으로 들어가는 작은 홍예문 위에는 박쥐 두 마리가 전벽돌로 장식되어 있습니다. 도대체 무슨 생각으로 박쥐를 새겨놓았을까요?

박쥐는 문양에서 복(福)을 상징하는 동물입니다. 박쥐를 한자(漢字)로 편복(蝙蝠)이라 하는데 '복' 발음이 같은 데서 생긴 관념입니다. 중국에서는 재물을 상징하지만, 우리나라에서는 그 의미가 다릅니다.

"동굴에서 종유석을 먹고 오래 산다고 하더군."

이런 전설 때문에 박쥐는 '신선의 쥐'로 여겨지면서 장수를 상징했습니다. 물을 담아 마셨던 표주박에 장식된 박쥐는 신선처럼 오래 살고 싶은 바람을 표현한 조각입니다. 같은 의미로 대비가 거처했던 자경전 굴뚝에 장식된 박쥐는 장수를 기원합니다.

또한 박쥐는 새끼를 많이 낳으므로 다산(多産)을 상징합니다. 조선 시대 여인들은 아들 많이 낳기를 바랐기에 박쥐무늬 넣은 경대(거울을 달은 화장대)를 많이 썼습니다. 같은 맥락에서 왕비가 거처했던 교태전 굴뚝에 장식된 박쥐무늬는 다산을 기원하는 상징입니다.

"왜 박쥐무늬가 주로 여성용품에 쓰였을까요?"

박쥐무늬가 여성용품에 많이 쓰인 이유는 또 있습니다. 박쥐는 밝은

박쥐무늬는 복(福)을 상징합니다.

빛을 싫어하므로 음기(陰氣)를 상징합니다. 음양오행에서 어둠과 여성도 음(陰)의 성질로 여겨지므로, '박쥐=음성=여성'의 관점에서 박쥐무늬가 당연하게 여겨진 것입니다.

음기 가득하다는 북쪽 신무문에 박쥐무늬가 장식된 이유도 여기에 있습니다. 이때 박쥐가 아래를 향한 상태로 묘사된 것은 복이 매달려 있거나 복이 쏟아 내리기를 기원한 것입니다.

건청궁과 향원정

신무문 바로 옆에는 집옥재가 있습니다. 고종의 개인 서재와 도서관으로 사용된 건물입니다. 집옥재에서 동쪽으로 조금 가면 건청궁(乾淸宮)이 나옵니다.

건청궁은 경복궁에서 가장 북쪽에 있는 건물입니다. 건청궁에서 장안당(長安堂)은 왕의 거처이고, 곤녕합(坤寧閤)은 왕비의 거처입니다. 경복궁 안

건청궁은 독립적인 치세를 나타내기 위해 세운 전각입니다.

에 이미 왕을 위한 강녕전, 왕비를 위한 교태전이 있는데 어떻게 된 일일까요?

경복궁 안에 궁을 또 만든 이유

고종은 1873년 신하들에게 알리지 않고 왕실 돈으로 비밀리에 새로운 건물을 지었습니다. 뒤늦게 알게 된 신하들이 반대했지만 고종은 듣지 않고 강행했습니다. 왜 그랬을까요?

그것은 흥선 대원군의 간섭에서 벗어나려는 자주적인 표현이었습니

곤녕합은 왕비를 위한 전각이며, 민비가 거처했던 곳입니다.

다. 어렸을 때는 아버지가 섭정해도 이해했지만 어른이 된 뒤에는 그러고 싶지 않았기 때문입니다. 그런 뜻을 확실히 나타내고자 새 건물을 지었던 것입니다.

그렇지만 건청궁 규모는 궁궐이라기보다 양반집에 가깝습니다. 땅 크기나 건축비에 제한이 있었던 까닭입니다. 궁임에도 단청을 꾸미지 않은 것은 화려한 과시가 목적이 아니었기 때문입니다.

건청궁이 완성된 뒤, 고종은 민비와 함께 이곳에서 나랏일을 살피면서 외교 사절을 맞이했습니다.

1895년 이른바 을미사변(명성 황후 시해 사건)도 건청궁에서 벌어졌습니다. 일제는 1895년 칼잡이들을 보내 건청궁에서 조선 왕비를 시해했습니다. 일본의 조선 침략에 민비를 걸림돌로 여겨 그런 참혹한 짓을 한 것입니다. 당시 곤녕합의 남쪽 누각 옥호루에서 죽임당한 민비는 뒷날 명성 황후로 추존됐습니다.

향원정과 취향교

건청궁 바로 남쪽에는 향원정(香遠亭)이 있습니다. 향원정이 있는 연못은 네모지고 가운데에 섬은 둥급니다. 이는 우리나라의 전통적인 연못 양식이며 하늘은 둥글고 땅은 네모지다는 사상을 반영한 것입니다. 다시 말해 네모난 연못은 땅을 상징하고, 둥근 섬은 하늘을 상징합니다.

"왜 경복궁에 연못이 두 개나 있을까요?"

본래는 경회루 하나였는데, 1873년 건청궁 공사 때 고종의 휴식 공간으로 향원지가 만들어졌습니다. 향원지 안에 있는 '향원정' 이름은 '향기가 멀리 퍼져나가는 정자'라는 뜻입니다.

"향원정으로는 들어가는 다리는 어떻게 생겼을까요?"

향원정은 '향기가 멀리 퍼지는 정자'라는 뜻입니다.

섬에 돌계단을 쌓고 휘어진 구름다리로 연결했으며 '취향교'라는 이름을 붙였습니다. 향원정으로 걸어가는 동안 '향기에 취하는 다리'라는 의미입니다. 고종과 명성 황후는 취향교를 건너 향원정으로 들어가서 경치를 감상하곤 했습니다.

취향교는 북쪽 건청궁 방향에 있었으나 6·25전쟁 때 파괴된 뒤 1953년 남쪽으로 길게 새롭게 놓였습니다. 잘못된 복원에 대한 지적이 끊이지 않자 문화재청은 2019년 원래대로 복원했습니다.

우리나라 최초로 전등이 설치된 곳

향원지 북쪽은 우리나라 최초로 전기 발전 시설이 들어선 곳입니다. 토머스 에디슨은 1879년 백열전구를 발명했는데, 1883년 보빙사 수행원으로 미국에 다녀온 유길준은 고종에게 전등의 유용함을 설명하고 설치를 건의했습니다.

"전등 설치를 추진하시오."

서양 문물에 관심 많았던 고종이 어명을 내렸고, 조선 정부는 미국의 에디슨 전기회사에 직접 공문을 보내 전등 설치를 부탁했습니다. 1887년 1월 에디슨 회사에서 파견된 미국인들이 향원정 근처에 서양식 건물을 짓고 그 안에 발전 시설을 마련했습니다.

"쑤우욱, 콰콰콰!"

향원정 연못에서 끌어올린 물로 발전기를 돌려 전기를 만들고, 한쪽으로 뜨거운 물을 흘려보내는 구조였습니다. 발전기 돌아가는 소리가 매우 요란했기에 건청궁에 있던 국왕 부부와 궁녀들은 잠을 이루기 어려웠다고 합니다.

"우와, 물불이 대낮같이 환하네!"

우여곡절 끝에 건청궁을 비롯해 각 건물 처마 끝에 백열등이 달렸습니다. 생전 처음 보는 전등에 대한 별명도 많이 생겼습니다. 당시 물을 끌어올려 불을 만든다 하여 '물불'이라고 불렀고, 한편으로 고장이 잦아서 건달 같다 하여 '건달불'이라고도 불렀습니다. 또한 발전기에서 나오는 뜨거운 물 때문에 연못 물고기들이 많이 죽어 불길하게 생각하기도 했습니다.

자경전과 십장생 굴뚝

향원지에서 남쪽으로 조금 내려가면 자경전(慈慶殿)이 나옵니다. 자경전은 흥선 대원군이 대왕대비(조대비)를 위해 지은 침전입니다. 철종이 후계자 없이 죽었을 때 흥선 대원군은 궁궐 최고 어른 조대비의 도움을 받아 둘째 아들을 왕위에 올릴 수 있었습니다. 하여 흥선 대원군은 조대비를 각별히 예우했습니다.

매화, 소나무, 국화, 대나무, 모란 등이 장식된 꽃담은 예술미 높은 작품입니다.

꽃담과 길상무늬의 뜻

"담벼락에 꽃무늬가 왜 이렇게 많을까요?"

자경전 정문은 남쪽에 있지만, 서쪽에서 들어갈 때 아름다운 벽돌담이 눈에 띕니다. 벽돌담에는 하얀 회벽에 매화, 소나무, 국화, 대나무, 모란 등이 장식되어 있고, 회벽 사이사이에 수복강녕(壽福康寧) 만수무강(萬壽無疆) 글씨가 벽돌로 새겨져 있습니다. 그뿐만 아니라 그 주변에는 갖가지 길상무늬가 붉은 벽돌로 꾸며져 있습니다. 여러 폭의 그림 같은 정말 아름다운 담벼락입니다.

卍(만) 자 무늬와 거북등무늬는 계속되는 행운과 장수를 상징합니다.

"요철 모양의 무늬는 무슨 의미일까요?"

끝없이 이어지는 생명을 상징합니다. 그 밖에 연속된 卍(만) 자 무늬는 길상이 함께 모여 끊임없이 이어지는 것을 뜻하고, 망처럼 생긴 석쇠무늬나 체 무늬는 악귀가 통과하지 못하도록 걸러 주는 것을 나타냅니다.

"거북이 등껍질처럼 보이는 무늬는 무슨 뜻일까요?"

거북 등껍질 무늬인 귀갑문양은 장수를 상징합니다. 요컨대 행운과 관련된 거의 모든 문양을 자경전 담벼락에 장식했습니다. 덕분에 자경전은 경복궁에서 가장 많은 문양이 있는 곳이 됐습니다.

자경전에도 해치가 있는 까닭

안으로 들어가면 자경전 좌우에 침실인 복안당과 다락집 형태의 창연루가 있습니다. 여기서 눈에 띄는 동물이 있으니 자경전 앞 계단 옆에 있는 해치 조각상입니다. 크기는 작지만 눈매가 매섭고 사나운 표정이 인상적입니다. 광화문 앞 해치 석상과는 완전히 다른 느낌입니다.

왜 그럴까요?

자경전 해치 석상은 화재를 예방하면서 액운을 물리치는 상징물이기 때문입니다. 이 해치는 앞에서 볼 때보다 위에서 내려다볼 때 그 기세가 더 당당합니다. 비록 상징적이지만 호위무사 같은 역할도 했음을 알 수 있습니다.

자경전 해치 석상은 화재 예방과 더불어 호위무사 역할도 합니다.

보물 제810호로 지정된 십장생 굴뚝

자경전 건물 뒤쪽으로 가면 화려한 벽돌담과 십장생 굴뚝이 눈을 잡아끕니다. 벽 한가운데에는 길이 303센티미터, 높이 88센티미터 크기의 회벽에 십장생이 장식되어 있습니다. 불로장생을 상징하는 구름, 사슴, 거북, 불로초, 소나무 등이 오밀조밀 있는데, 화공이 그리고 도공이 구운 전벽돌을 하나하나 붙인 정성스러운 작품입니다.

"국화, 연꽃, 포도송이는 무슨 뜻일까요?"

십장생 왼쪽에는 국화, 오른쪽에는 연꽃과 포도송이가 자리를 잡고 있습니다. 국화는 장수를 상징하고, 포도송이는 많은 자식을 상징하며, 연꽃은 대를 이어가는 연속성을 상징합니다. 자경전이 여성의 공간임을 알려 주면서, 조대비 후손들이 많은 아들을 낳고 대대로 잘 살기 바란다는 의미를 담은 그림입니다.

그림 위에는 눈을 부릅뜬 귀면(鬼面)과 영지를 입에 문 두루미 두 마리가 있습니다. 회벽 아래에는 불가사리 두 마리가 자리를 지키고 있습니다. 십장생 돌 담벼락 바로 옆에는 卍(만) 자 무늬, 장수를 상징하는 거북 무늬, 그물망처럼 잡귀를 막아 주는 석쇠무늬가 장식되어 있습니다.

온갖 좋은 행운을 벽 전체에 장식한 것입니다. 단순히 상징적인 의미만이 아니라 보기에도 아름답습니다. 마치 벽화를 보는 기분이 들 정도입니다. 자경전 굴뚝은 단순한 난방 장치가 아니라 화려하고 아름다운 예술품이라 말할 수 있습니다.

"굴뚝 위에 있는 작은 집 모양의 물체는 뭘까요?"

굴뚝 꼭대기에 얹은 기와지붕 모양의 물건을 연가(煙家)라고 합니다. 연가에는 연통을 통해 올라온 연기가 사방으로 빠져나가도록 구멍이 뚫려 있습니다. 10개의 연가는 불 때는 아궁이가 10개 있음을 알려 주고 있습니다.

굴뚝 기능을 충실히 하면서 꽃담의 조형미도 멋지게 보여 주는 조선 시대 궁궐 굴뚝 중 가장 아름다운 굴뚝입니다.

자경전 십장생 굴뚝은 온갖 행운과 예술적 조화를 보여 주고 있습니다.

소주방과 동궁과 뒷간

자경전에 아래에는 궁중 음식을 만드는 소주방(燒廚房)이 있습니다. '음식을 익히는 부엌 방'이란 뜻이며 줄여서 '주방'이라고도 말합니다. 우리말 '부엌'과 같은 의미의 한자어 '주방' 어원이 소주방입니다. '소주방'은 대장금이 수라를 만들며 일했던 공간입니다.

소주방 한가운데에 있는 우물은 음식 조리에 필요한 물을 공급해 주었습니다.

소주방 아래에는 동궁(東宮)이 있습니다. '동궁'은 왕세자가 거처하는 궁전이며, 세자가 '떠오르는 해'와 같다 하여 동쪽에 둔 것입니다. 봄에 비유하여 춘궁(春宮)이라고도 말합니다. 동궁 중 자선당은 세자와 세자빈이 거처하던 건물이고, 비현각은 세자가 업무를 보던 곳입니다.

동궁의 하나인 비현각은 세자가 업무를 본 전각입니다.

궁궐 화장실은 어떤 모습일까

"볼일 보고 싶을 때 어떻게 해결했을까요?"

사람은 누구나 하루에 몇 차례씩 용변을 봅니다. 높은 신분의 사람들도 마찬가지였지만, 조선 시대 국왕은 화장실에 가지 않았습니다. 그렇다고 남몰래 해결한 것도 아닙니다.

"임금님은 어디서 볼일을 봤을까요?"

왕은 '매화틀'이라고 부르는 이동용 변기에 볼일을 봤습니다. '매화'는 임금의 대변을 은유적으로 일컫는 말입니다. 매화틀에 잘게 썬 볏짚을 채운 뒤 용변을 보면 튀지 않고 치우기도 좋았습니다. 어의는 대소변의 상태를 보거나 맛보면서 왕의 건강을 살피기도 했습니다.

유일하게 복원된 옛날 화장실은 자선당과 비현각 사이에 있습니다.

이에 비해 일반 관리들과 궁녀들은 그럴 수 없었습니다. 하여 궁궐 곳곳에 있는 화장실에서 급한 볼일을 봤습니다.

그런데 오늘날 경복궁에서 옛날 모습을 간직한 화장실을 찾아보기 어렵습니다. 관광객을 위한 현대식 화장실만 몇 군데 보일 뿐이지요.

하지만 잘 찾아보면 자선당과 비현각 사이에서 한 곳을 발견할 수 있습니다. 현판도 없고 아무 설명도 없지만, 유일하게 복원한 화장실입니다.

한편 오늘날에는 화장실이라고 하지만 옛날 궁중에서는 측간, 작은 집, 급한 데 등으로 불렀습니다.

건춘문과 청룡

"동궁전 근처에 있는 큰 문은 뭘까요?"

비선각 바깥에서 동쪽을 보면 건춘문(建春門)이 있습니다. 동쪽을 지키는 대문이며, 동쪽은 봄을 상징하므로 '봄을 세우는 문'이란 뜻으로 건춘문이라 이름 지었습니다. 이곳으로는 왕족 친척과 궁 안에서 일하는 상궁들이 드나들었습니다.

건춘문은 '봄을 세우는 문'이란 뜻이며 동쪽에 있습니다.

건춘문에 청룡이 있는 이유

“천장에 그려진 용은 무슨 의미인가요?”

건춘문 천장에는 청룡(靑龍)과 황룡(黃龍)이 그려져 있습니다. 청룡은 동쪽을 담당한 신령이며, 동방 별자리 이름입니다. 건춘문은 동쪽을 지키는 문이므로, 청룡을 그려 그 상징을 강조한 것입니다.

청룡은 음양오행에서 동쪽을 담당한 신령한 서수입니다.

“왜 청룡이 동쪽을 상징할까요?”

용은 청룡, 황룡, 흑룡 등으로 분류되는데 여러 용 중에서 청룡을 으뜸으로 칩니다. 음양오행에서 동쪽을 상징하는 색깔은 파랑이므로, 청룡이 동쪽 세상을 지킨다고 믿기 때문입니다. 건춘문에는 용 조각도 있습니다. 어디에 있을까요?

누각으로 올라가는 계단 위 작은 홍예문 양쪽이 그곳입니다. 용 두 마리가 서로 마주 보는 모습의 전벽돌 조각이 홍예문 상단 좌우에 있습니다. 또한 작은 홍예문 위 가운데에 구름 위로 떠오르는 태양도 보입니다. 이 역시 전벽돌로 장식되어 있는데, 생명의 기운이 솟아나는 동쪽 상징을 한껏 강조한 것입니다.

누각으로 출입하는 작은 홍예문 상단 좌우에 용이 조각되어 있습니다.

현재 건춘문 현판은 검정 바탕에 흰 글씨로 되어 있지만, 원래는 검정 바탕에 녹색 글씨였습니다. 초록은 식물들이 기지개 켜는 봄을 연상시키는 색깔이기에 그렇습니다.

좌청룡 우백호의 어원

'좌청룡 우백호'도 동쪽과 관련되어 생긴 말입니다.

동쪽은 해가 떠오른 곳이고, 계절로는 봄에 해당합니다. 고대 국가에서 높은 신분을 지닌 사람이 죽었을 때 관(棺) 왼쪽에 청룡을 그려 넣는 관습이 있었습니다. 오른쪽에는 백호를 그렸습니다. 청룡과 백호가 죽은 사람을 지켜 주고, 훗날 청룡이 있는 동쪽을 통해 좋은 세상에서 다시 태어나기를 기원하는 풍습이었습니다.

"관을 놓을 때 동쪽의 기준은 무엇일까요?"

땅에 관을 묻을 때 시신 머리를 북쪽으로 둡니다. 북쪽은 저승 세계가 있는 방향이기에 그렇습니다. 이럴 때 머리를 북쪽으로 하여 길게 놓인 시신의 왼쪽은 동쪽이 됩니다. 이에 연유하여 '좌청룡(左青龍)'이라는 말이 생겼습니다.

경복궁 전경

Seoul City Tour
Tiger Open Top Bus